LA RÉPÉTITION
OU L'AMOUR PUNI

Né à Bordeaux en 1910, Jean Anouilh fait ses études à Paris.
Attiré par le théâtre dont il a fréquenté les coulisses dès l'enfance,
il se consacre à sa vocation d'auteur dramatique après avoir été
pendant un temps secrétaire de Louis Jouvet.
Inaugurée en 1932 avec L'Hermine, *la série des* Pièces noires *et*
des Nouvelles Pièces noires (Le Voyageur sans bagage *monté par*
Pitoeff en 1937. La Sauvage, Antigone) *alterne avec les* Pièces
roses (Le Bal des voleurs), *les* Pièces brillantes (Colombe, La
Répétition), *les* Pièces grinçantes (Ardèle ou la marguerite, Bitos,
Ornifle) *ou les* Pièces costumées (L'Alouette, Becket ou l'honneur
de Dieu).
On lui doit aussi l'adaptation d'œuvres étrangères, notamment
Catherine de Heilbronn *de Kleist.*
La Répétition ou l'Amour puni *a été créée en 1950.*

Le comte Tigre est célèbre pour son art d'organiser les fêtes. Celle
qu'il va donner dans sa maison de campagne promet d'être ori-
ginale. Les invités porteront des costumes Louis XV et l'on jouera
La Double inconstance de Marivaux en plein dîner de façon à
glisser de la vie au théâtre sans la rupture de ton qu'impose la
traditionnelle scène à l'italienne.
Le sujet de la pièce ? Le Prince veut conquérir Sylvia qui aime
Arlequin et est aimée de lui ; toute sa cour entre dans la conjuration qui doit séparer Arlequin de Sylvia et jeter cette dernière
dans les bras du Prince.
Tigre sera le Prince ; sa femme Eliane, sa maîtresse et ses amis
incarnent les autres personnages mais, pour le rôle de Sylvia,
Tigre impose Lucile, l'institutrice jeune, jolie et pauvre engagée
depuis peu.
Il se prend au jeu et c'est pour son propre compte qu'il tente de
séduire Lucile-Sylvia. Un homme comme lui peut-il aimer vraiment ? Lucile le croit, Eliane le craint et rallie ses amis pour
couper court à cette passion.
On reconnaît les thèmes pessimistes familiers à Jean Anouilh.
Traitée dans un style néo-classique d'une facture parfaite, *La
Répétition* est une de ses meilleures « pièces brillantes ».

JEAN ANOUILH

La répétition

ou l'amour puni

LA TABLE RONDE

PERSONNAGES

LE COMTE.

LA COMTESSE, sa femme.

HORTENSIA, sa maîtresse.

HÉRO, son ami.

VILLEBOSSE, ridicule, amant de la comtesse.

MONSIEUR DAMIENS, homme d'affaires de la comtesse.

LUCILE, sa filleule.

PREMIER ACTE

Un salon. Entrent la comtesse et M. Damiens.
Costumes Louis XV.

LA COMTESSE

Monsieur Damiens, je veux vous remercier de
nous avoir prêté votre filleule.

MONSIEUR DAMIENS

Vous obliger, madame, est le premier et le plus
agréable de mes devoirs. Vous aviez besoin d'elle :
il était tout naturel qu'elle vînt à Ferbroques.

LA COMTESSE

Sans elle, que serions-nous devenus ? Ma pauvre
tante, la marquise, était l'esprit le plus chimé-
rique qui fût. Cette idée de nous léguer Ferbroques à condition que nous y passions un mois
chaque printemps c'était en somme assez touchant.
Ferbroques est un désert où elle-même n'a jamais
eu le courage de vivre plus de huit jours. Elle
passait tout l'hiver à Paris à soupirer après Ferbroques et l'été venu, elle courait autre part. Il

faut dire que la pauvre femme était la proie de
plusieurs grands médecins. Quoiqu'elle eût une
excellente santé, la belle saison lui suffisait à
peine pour faire ses cures. Quand elle avait bu
toutes ses eaux, quand elle s'était trempée dans
toutes ses boues aux quatre coins de l'Europe,
elle n'avait plus que le temps matériel de rega-
gner Paris pour commander ses robes, jurant sur
tout ce qu'elle avait de plus cher, c'est-à-dire nous,
sans doute, qu'au printemps prochain elle vien-
drait habiter son château... Mais le printemps
revenu, ses médecins l'envoyaient s'abreuver à de
nouvelles sources... La mort la délivrant des cures
miraculeuses, elle a voulu que nous tenions ses
serments.

MONSIEUR DAMIENS

Délicate pensée...

LA COMTESSE

Oui. Un mois à la campagne, pour peu qu'on y
donne un bal ou deux, c'est vite passé. Le moyen
d'ailleurs de refuser Ferbroques ? C'est un bijou.
Mais la clause du testament qui nous obligeait à
élever douze petits orphelins dans l'aile gauche,
elle a dû bien rire en l'écrivant.

MONSIEUR DAMIENS

Peut-être qu'un souci de charité chrétienne...

LA COMTESSE

Ma tante était nourrie de philosophes, ce ne
peut être que par politesse qu'elle a voulu faire,
en mourant, un petit geste pour le ciel. Et elle
haïssait les enfants. Elle avait un valet de pied

souffre-douleur, le pauvre Jules — qui est mort
deux mois après elle, rongé par la tranquillité —
spécialement chargé de la précéder dans les lieux
publics pour les écarter de son chemin. C'est une
phobie qu'elle avait prise depuis qu'elle avait
reçu un diabolo sur la tête dans un jardin.

MONSIEUR DAMIENS

Peut-être qu'une sorte de remords...

LA COMTESSE

Monsieur Damiens, vous ne connaissiez pas ma
tante. C'était une femme étonnante, incapable d'aucune sorte de remords... Non, je ne vois pour ma
part, qu'une seule explication à la création de cet
orphelinat : le désir de nous jouer un bon tour
posthume au comte et à moi. Remarquez que
Tigre a très bien pris la chose. Il adorait se
disputer avec sa tante. « C'est bien ! » s'est-il écrié
quand le notaire eut achevé la lecture. « Elle veut
que ces douze marmots nous cassent, un mois par
an, les oreilles ? Nous parerons la botte, ma chère ;
nous prendrons douze petits sourds-muets. » Je
suis sûre qu'entendant la riposte, ma tante a dû
faire un tour sur elle-même dans le mausolée de
la famille à Passy. D'autant plus que dans sa
longue lutte avec Tigre c'était le dernier point
marqué, pour lui. A moins de recourir aux appa-
ritions en suaire — et la pauvre chère avait trop
bon goût pour se décider jamais à en arriver là —
elle ne pouvait plus rien contre lui désormais.

MONSIEUR DAMIENS

Et vous avez cependant renoncé au projet ? J'ai

cru entendre ces gamins en passant dans le parc tout à l'heure...

LA COMTESSE

Oui. Le testament spécifiait malheureusement « orphelins », et le monde a beau déborder de misère, quand il s'agit de mettre la main sur douze orphelins sourds-muets on s'aperçoit que c'est extrêmement difficile. On nous proposait des boiteux, des aveugles, des sourds-muets qui avaient toute leur famille ou des orphelins parlant comme vous et moi. Peut-être aurions-nous réussi un assortiment tout de même avec le temps. Mais Tigre qui n'a jamais le courage de pousser bien loin ses vengeances, a décidé toute réflexion faite, que cela serait, par ailleurs, assez triste. Nous avons donc réuni douze orphelins pourvus de solides cordes vocales et nous nous sommes réfugiés dans l'aile droite. Ferbroques est vaste, Dieu merci ! Le problème n'était plus que d'organiser la grande fête de charité que nous avions décidé de donner, Tigre et moi, pour l'inauguration de l'orphelinat. Tigre est un homme merveilleux pour cela. Un des derniers hommes de notre temps qui ait compris qu'il fallait prendre la futilité au sérieux. En une nuit il avait trouvé le thème du Bal et celui de la Fête (je ne vous dis rien, c'est encore un secret). Le lendemain, les tapissiers arrivaient de Paris... Nous avons passé huit jours merveilleux dans la fièvre et les coups de marteau; dévorant nous-mêmes les pointes, assortissant des échantillons en pleine nuit, nous sustentant d'un morceau de pain qu'on nous tendait, sur nos échelles, comme à des cacatoès. Tigre était extraordinaire.

Il avait une idée par minute. Il a tué deux tapissiers sous lui, qu'on a dû aliter d'épuisement chez le concierge. Bref tout allait bien; le grand jour approchait, lorsque, l'autre matin, coup de théâtre ! les orphelins nous tombent dessus. Nous les avions complètement oubliés. C'est alors que je vous ai envoyé ma dépêche et que vous avez eu la gentillesse de nous prêter votre filleule pour nous tirer de ce pas. Elle se plaît ici ?

MONSIEUR DAMIENS

Elle adore les enfants.

LA COMTESSE

C'est son métier je crois ?

MONSIEUR DAMIENS

Oui. A la mort de sa mère elle a dû prendre un état. Elle s'est orientée vers la puériculture.

LA COMTESSE

C'est une culture comme une autre. J'aime mieux mes rosiers. Ils ne piaillent pas. Avez-vous visité les serres de Ferbroques ? Je n'ai jamais vu autant de merveilles réunies.

MONSIEUR DAMIENS

Je n'ai rien vu. Depuis hier soir que je suis là, je n'ai eu que le temps de me costumer et d'essayer de retenir mon rôle.

LA COMTESSE

Vous avez été si gentil d'accepter d'être de la pièce au pied levé. La défection inattendue de Gontaut-Biron qui devait jouer Trivelin avait plongé Tigre dans le désespoir. Je craignais le pire.

MONSIEUR DAMIENS

Vraiment ?

LA COMTESSE

Vraiment. Tigre a la façon la plus inattendue d'attacher de l'importance aux choses. Il s'est, paraît-il, merveilleusement conduit en 40, résistant seul sur la Loire, alors que tout le monde était déjà à Toulouse, avec un petit canon tant bien que mal rafistolé et qui ne voulait plus se détraquer, contre une nuée de grenadiers poméraniens. Cinq heures après l'armistice, il tirait encore. Les autres avaient beau lui crier qu'il était ridicule avec leurs porte-voix et leurs drapeaux blancs, la reddition de la France était un fait qui ne le concernait en rien. Mais son dernier obus tiré, il a demandé un bain aux Allemands, il s'est rasé, s'est fait faire les mains, — son ordonnance, le seul survivant avec lui, était manucure, — et il n'a jamais plus reparlé de la défaite... Mais un bal compromis c'est autre chose ! Il serait capable de se tuer, comme Vatel.

MONSIEUR DAMIENS

Je suis heureux de lui épargner cette pénible obligation en assumant ce petit rôle. J'avais un joli talent d'amateur à vingt ans.

LA COMTESSE

Vous l'avez certainement gardé. Un homme de loi ne cesse jamais de jouer la comédie, — ou le

drame, hélas ! quelquefois. Il fallait aller au dé-
funt Odéon pour trouver plus cabot qu'un procu-
reur de la Haute Cour réclamant la mort de
quelqu'un.

LE COMTE, entre, costumé aussi.

Eh bien, répétons-nous ? La pièce est de Marivaux. Il ne peut pas être question de faire du
texte. Où est votre filleule, monsieur Damiens ?
Il est tout de même abusif que ces douze orphelins
l'accaparent. Nous avons besoin d'elle, nous aussi.

MONSIEUR DAMIENS

Elle surveillait leur coucher et elle devait nous
rejoindre.

LE COMTE

Soyez bon. Allez l'arracher aux griffes de ces
douze petits intrigants. Nous l'attendons pour
commencer.

M. Damiens sorti, le comte vient s'asseoir
près de la comtesse.

Ma chère tout s'annonce bien. La pièce pendant le dîner est une idée ravissante. Un personnage se lève de la table et il en interpelle un autre,
ils commencent à parler, on les écoute, on croit qu'ils
ont effectivement quelque chose à se dire : leur ton
surprend un peu au début, — mais j'aurais eu
soin et vous aussi à l'autre bout de la table, de
donner à la conversation dès le début du repas
un petit tour dix-huitième pour rendre le passage
insensible. — Quand on commence à penser qu'ils
parlent peut-être un peu trop, un autre person-

nage entre, un valet qui les prend à partie — stupeur d'abord, on trouve nos domestiques bien mal stylés et puis on reconnaît la pièce. C'est trop tard, elle est commencée. Il n'y a pas ce moment d'effroi qui saisit toujours les gens du monde quand on les assoit sur des chaises en face d'une scène d'amateurs.

LA COMTESSE

Un seul point noir. Ils parlent tous de Marivaux. La plupart ne l'ont jamais lu.

LE COMTE

Tant mieux. Ils croiront que c'est de moi. D'ailleurs il ne faut pas dire trop de mal de ces gens-là. Ils sont ineptes, c'est entendu ; mais on ne demande pas à notre classe de produire des génies. Nous ne sommes pas assez nombreux pour nous offrir cela; nous laissons cette prime au peuple qui a les moyens de décanter un million de culs-terreux sur trois ou quatre générations pour sortir triomphalement un lauréat au concours général ou un président de la République. Ce qu'on demande à notre classe, c'est d'être cohérente et de durer. Nous avons du talent à nous tous, et sur plusieurs siècles. On fait ce qu'on peut.

LA COMTESSE

Un autre point noir. S'ils écoutent la pièce, tout sera froid.

LE COMTE

Tant pis. On les fait toujours trop bien manger, cela les changera. Vous avez l'esprit chagrin ce soir, ma chère... D'ailleurs le menu du souper

sera combiné suivant les nécessités dramatiques.
Je ferai apporter la langouste et le champagne au
moment où l'intérêt faiblira — de simples cure-
dents aux moments poétiques, pour leur donner
les gestes de la méditation. Il faut les aider ces
gens-là ! Ils sont légers, mais non dépourvus de
talent. Rien ne rend plus rêveur qu'un petit morceau de viande qu'on essaie de dénicher entre deux
molaires. S'ils font le geste, nous avons une chance
pour qu'ils pensent — par éclairs. Enfin, ils
n'étaient pas moins bêtes au Grand Siècle et c'est
tout de même eux qui ont fait le succès de bons
auteurs... Je crois que cette petite fille sera charmante dans Sylvia.

LA COMTESSE

Je trouve qu'elle manque d'éclat. Je me demande pourquoi vous avez tout bouleversé pour
lui donner le rôle.

LE COMTE

Précisément. Elle tranchera sur vos éclatantes
amies. Elle brûle d'un feu intérieur qu'elle noie
sous sa réserve. Cela nous changera de toutes ces
belles personnes qui font feu de tout bois pour
briller. Cela donne des flammes ravissantes tout
un soir et quand on est seul avec elles, en rentrant,
le feu est éteint. Et puis ils ne la connaissent pas.
Et pour ces gens qui s'appellent tous par le dimi-
nutif de leur prénom, ce sera un détail des plus
piquants de ne pouvoir dire qui elle est.

LA COMTESSE

Seriez-vous amoureux d'elle ?

LE COMTE

Moi ? Pas du tout.

LA COMTESSE

Tant mieux. Ce n'est pas une fille pour vous.

LE COMTE

L'ennui c'est le costume Louis XV et la perruque. Cela fait dragée. Mais — cela doit faire
partie du système de vengeance de ma tante —
Ferbroques est un château du dix-huitième et
nous ne pouvions pas y couper. Dans un manoir
Renaissance, comme votre Grandlieu, nous aurions
réussi quelque chose d'étonnant. Je leur aurais
fait écouter une petite pièce de Marguerite de
Navarre qui est adorable et que personne ne connaît.

LA COMTESSE

De toute façon, il est trop tard maintenant.

LE COMTE

Il est trop tard. Mais je ne dormirai pas tant
que je n'aurai pas trouvé quelque chose pour
rendre le Louis XV drôle. J'avais pensé à imposer
la barbe aux hommes, mais c'était être original
à bon marché. Ou faire un Louis XV 1900,
Mme Bartet dans *Adrienne Lecouvreur*. Mais ils
n'auraient jamais su, il ne faut pas leur en demander trop...

LA COMTESSE

Quel âge a-t-elle ?

LE COMTE

Vingt ans tout juste. Il faudrait que vous y pensiez avec moi.

LA COMTESSE

A quoi ?

LE COMTE

Aux costumes Louis XV. Nous pouvons tout aussi bien sombrer dans le banal à cause de cela... J'en meurs d'angoisse.

Il a ôté sa perruque et s'évente.

LA COMTESSE

Et si nous demandions à nos amis de venir tous sans perruque ?

LE COMTE, *qui se regarde dans une glace.*

Ce serait déjà mieux. D'autant plus que cette petite a une couleur de cheveux exceptionnelle, ce serait un crime de la poudrer.

LA COMTESSE

Moi, je la trouve laide.

LE COMTE

Moi aussi. Je parlais de la couleur de ses cheveux.

LA COMTESSE

Vous savez que vous êtes libre, Tigre. Rendez-moi cette justice que je ne me suis jamais mêlée de vos affaires de cœur. Ne papillonnez pas trop autour d'elle, tout de même. Damiens est l'homme d'affaires de ma famille depuis plus de trente ans

et je serais désolée qu'il eût à se plaindre de
nous.

LE COMTE

Pour qui me prenez-vous, ma chère ? J'ai des
défauts considérables, mais personne n'a encore
mis en doute le fait que je sois un homme bien
élevé. Avec ma chevalière et mon nom, c'est d'ailleurs à peu près tout ce qui me reste en propre,
si j'excepte Ferbroques et les douze orphelins.

LA COMTESSE

Cela n'empêche rien.

LE COMTE

Je vous demande pardon : cela empêche beaucoup de choses. Mon père qui était un homme
parfait a pris la peine de me mettre en garde sur
ce point-là, avant de mourir. J'étais bien jeune,
mais je n'ai jamais oublié son conseil, le seul
d'ailleurs qu'il ait trouvé à propos de me donner. C'était quelques heures avant sa mort.
L'évêque attendait dans l'antichambre avec tout
son clergé pour l'extrême-onction; il a demandé
qu'on me fasse entrer d'abord. « Mon garçon, m'a-
t-il dit, je m'aperçois un peu tard que je ne me
suis jamais occupé de vous. J'ai très peu de temps,
je plie bagage. Monseigneur m'attend à côté pour
m'estampiller. Sur l'honneur, je vous fais confiance.
Pour le reste, vous improviserez et cela n'a pas
grande importance au fond. Un point, cependant.
Vous êtes jeune, vous allez avoir envie de vous
distraire. Faites toujours ce qui vous fera plaisir,
mais seulement avec des femmes de votre monde.

Avec les autres cela tourne toujours mal. On finit par épouser sa bonne ou une chanteuse — et c'est le bagne — ou bien on fait des bâtards à une couturière et en grandissant ils s'aigrissent et fomentent des révolutions... Des turpitudes, mon petit, soit, nous ne sommes pas des anges — mais entre soi. Maintenant, faites entrer l'évêque, je vais lui vider mon sac, afin qu'il puisse m'expédier. Il est temps. »

Un petit silence. Il dit soudain.

Mon père était un homme admirable, je ne le voyais jamais mais je me suis aperçu que je l'aimais de tout mon cœur.

LA COMTESSE, après un silence aussi.

J'ai l'impression, Tigre — ce n'est pas un reproche — que vous lui avez en effet donné votre cœur; et que vous n'en avez jamais plus disposé d'une parcelle depuis.

LE COMTE, se secoue.

Comme votre conversation est sombre aujourd'hui, ma chère ! Nous n'allons pas nous donner le ridicule de dramatiser tous les deux. D'ailleurs, vous savez que je vous aime beaucoup. Je n'ai jamais eu un sentiment de cœur pour personne, que pour vous. Ne le répétez pas à Hortensia, cela me ferait toute une histoire.

LA COMTESSE

Vous leur dites que vous les aimez d'amour, à vos maîtresses ?

LE COMTE

Il faut bien. Les femmes sont tellement forma-
listes. Je crois bien que vous êtes la seule femme
à qui je ne l'ai jamais dit.

LA COMTESSE

Parce que cela n'était pas. Quel grand cadeau !
Attendez-vous que je vous remercie ?

LE COMTE

Parce qu'il y avait entre nous autre chose de
délicat et de ravissant, qui me dispensait de vous
mentir. Secouons-nous je vous prie, Eliane, nous
allons bêtifier dans un instant. L'amour est le
pain des pauvres ; ne nous mettons pas, sur le
tard, à pleurnicher l'un et l'autre au milieu de nos
aubussons parce que nous ne l'avons pas connu.
Il y a des choses mille fois plus importantes au
monde que ce désordre inattendu. C'est comme
une bouteille qu'on vide un soir, pour faire le
fanfaron : on paie deux heures d'exaltation d'une
longue nuit de migraine et de vomissements. C'est
trop cher. Je n'ai d'autre ambition que de faire
de ma vie une fête réussie. Et c'est autrement difficile, permettez-moi de vous le dire, que d'ennuyer
tout le monde en se tapant sur la poitrine et de
souffrir. D'ailleurs, je ne veux pas être indiscret,
mais ma chère, vous avez Villebosse si vous voulez jouer à ce petit jeu, Villebosse ou un autre,
que sais-je ? Le monde est plein d'hommes rugis-
sants.

LA COMTESSE

Villebosse m'ennuie.

LE COMTE

Moi, je le trouve charmant. Il est jeune, il est beau. Il est toujours prêt à plonger de trois mètres ou à traverser un cercle de feu, à la demande. Enfin vous n'allez pas me forcer à faire le panégyrique de cet individu tout de même ?

LA COMTESSE

Soyez courtois. Cet individu est mon amant, mon cher Tigre.

LE COMTE, un peu sec soudain.

Brisons là, Eliane. Nous sommes au bord de l'odieux. Il y a des conversations que je n'aime pas avoir. J'ai les idées larges, mais j'ai les mots étroits. Vous êtes libre, je suis libre, nous nous aimons beaucoup et nous avons à donner à nos amis une fête qui est une véritable gageure, dans ce désert, vous le savez. Il y a des choses infiniment plus graves, je vous prie de le croire, que nos petits débordements privés. Les gens ne se sont jamais ennuyés chez nous. Nous pouvons avec cette folie couler en un soir une réputation de quinze ans.

Il se regarde dans la glace.

Vous pensez vraiment que c'est mieux sans perruque ? Il n'y a pas de doute, vous avez raison. Il y a quelque chose d'inachevé, qui rend le Louis XV bon enfant. Je vais télégraphier le contre-ordre à tout le monde.

Il lui baise la main.

Vous avez toujours raison. Je vous aime beaucoup, Eliane.

> Il sort. Entre Hortensia par une autre porte,
> elle est costumée elle aussi.

HORTENSIA

Pardon ! on m'avait dit que Tigre était avec vous.

LA COMTESSE

Il vient de sortir.

HORTENSIA

Il ne pense qu'à cette fête. On ne le voit plus.

LA COMTESSE

Ma chère Hortensia, j'ai passé le temps que j'aimais Tigre à être jalouse de ses bals.

HORTENSIA

Oh ! je ne souffre pas outre mesure ! Va-t-on répéter ? Je ne me sens pas très sûre de moi.

LA COMTESSE

C'est bien la première fois que je vous l'entends dire.

HORTENSIA

Jouer la comédie ce n'est pas mon métier.

LA COMTESSE

C'est peut-être parce que le texte n'est pas de vous — pour une fois. Nous attendons cette petite qui joue Sylvia.

HORTENSIA

Pourquoi Tigre a-t-il tenu absolument à lui donner le rôle ?

LA COMTESSE

Elle est charmante.

HORTENSIA

Je trouve qu'elle manque d'éclat.

LA COMTESSE

Détrompez-vous. Elle brûle d'un feu intérieur qu'elle noie sous sa réserve. Elle n'est pas comme ces éclatantes jeunes femmes qui font feu de tout bois pour briller. Cela donne des flammes ravissantes tout un soir et puis quand on est seul avec elles, — paraît-il — le feu est éteint.

HORTENSIA

Quel nouveau caprice de Tigre de décider qu'elle jouerait avec nous ? Il est vrai qu'il a aussi donné un rôle à son valet de chambre. J'espère que la comédie jouée, il la renverra à l'office avec lui.

LA COMTESSE

Détrompez-vous encore. Tel que je connais Tigre, pour peu qu'elle ait eu du succès dans la pièce, il la fera danser toute la nuit.

HORTENSIA

Ce serait extrêmement déplaisant. Enfin jusqu'ici, chez vous, c'était une des rares maisons où on avait la certitude d'être entre soi.

LA COMTESSE

Ma chère, Tigre s'est donné la peine, en quinze ans de vigilance attentive et d'efforts, de devenir l'arbitre incontesté de ce qui est de bon ton à Paris. S'il avait dépensé la moitié de cette énergie dans le commerce, il serait fabuleusement riche. Il peut se permettre de faire ce qu'il veut maintenant. Lui qui ne reçoit pas son agent de change, s'il décide que la filleule de M. Damiens est une fille fréquentable, elle le sera.

HORTENSIA

C'est grotesque ! Enfin c'est une sorte de bonne d'enfants ici ?

LA COMTESSE

Si ces enfants étaient les nôtres, Tigre n'aurait probablement pas osé. Elle est ici pour diriger les petits orphelins de ma tante. Et ils sont douze. Tigre a du génie pour exploiter les nuances. Et puis j'aime mieux ne pas vous le cacher, je crois qu'il en mourait d'envie.

HORTENSIA

Il y a quelque aigreur dans vos propos, Eliane.

LA COMTESSE

Loin de moi toute trace d'aigreur, ma chère — ou de dépit. Votre liaison avec Tigre m'est tout à fait sympathique. Puisque aussi bien nous sommes libres l'un et l'autre, je me plais à reconnaître que vous êtes tout à fait la fille qui lui convenait. Il est très amoureux de vous, vous savez.

HORTENSIA

C'est vrai ?

LA COMTESSE

Il le dit. Reste à savoir si tout ce que dit Tigre
est vrai. Voilà longtemps que j'ai renoncé à le
vérifier.

HORTENSIA

De toute façon je vous jure bien qu'il ne dansera
pas toute la nuit avec elle.

LA COMTESSE

Pas de scènes. Ce serait le meilleur moyen de l'y
décider.

HORTENSIA

Merci de vos bons conseils Eliane, mais je le
connais assez bien, moi aussi.

LA COMTESSE

Votre robe est absolument ravissante !

HORTENSIA

La vôtre vous va merveilleusement bien !

LA COMTESSE

Vous ne savez pas à quel point je vous suis
reconnaissante d'être belle ! J'eusse été affreusement mortifiée que Tigre s'affichât avec n'importe
qui. Tournez. Dieu, que l'interprétation des pa-
niers est cocasse ! Jacquot a du génie ! On pourra
s'enticher une saison d'un autre, on reviendra
toujours à lui.

HORTENSIA

C'est toujours Léonor qui vous habille ? C'est
bouleversant d'avoir réussi à faire du vrai Louis XV
avec le petit drapé qu'on a justement lancé cette
saison. Elle sera là ?

LA COMTESSE

Qui ?

HORTENSIA, un peu dépitée.

Léonor. Elle sera là, bien sûr. C'est une femme
qui est reçue partout, même chez Tigre !

LA COMTESSE

Surtout chez Tigre !

HORTENSIA

Pourquoi « surtout » chez Tigre ? Il est convenu
depuis longtemps que Léonor — qui a été arpète —
a une grosse situation mondaine. Il ne fait que
suivre le mouvement.

LA COMTESSE

Tigre ne suit jamais un courant qu'il n'a pas
créé lui-même. Il faut lui rendre cette justice. Je
suis sûre que s'il ne s'y mêlait pas un sentiment
personnel, il se serait tout d'un coup montré très
pointilleux sur le cas de Léonor. C'est l'homme
le plus libre du monde mais il prétend que lorsqu'on veut jouer un jeu, on doit le jouer bien. Il
boit des verres sur le zinc avec des chauffeurs de
taxi, mais il ne reçoit chez lui que des gens de
son monde.

HORTENSIA

Et qu'est-ce qui a bien pu procurer à cette femme cet extraordinaire passe-droit ? Le fait qu'elle ait du génie ?

LA COMTESSE

Tigre ne croit pas au génie en tant que valeur mondaine. Ma bonne, c'est le fait du prince, tout simplement. Tigre se sent assez sûr de lui pour ennoblir. Je la reçois parce qu'il a eu envie d'elle et qu'elle lui dit non, il y a de cela quatre ans.

HORTENSIA

Comme c'est gracieux à vous de m'avertir !

LA COMTESSE

Je vous le dis parce que c'est de l'histoire ancienne. Mais avoir résisté à Tigre, il faut croire que c'est un titre assez rare, ma chère, pour vous permettre d'être reçue partout.

HORTENSIA

Eliane, vous perdez vos flèches. Tigre ou un autre, je suis décidée à ne jamais souffrir.

LA COMTESSE

C'est bien pour cela que je crois qu'il vous est très attaché. Et moi aussi.

Elle l'embrasse.

Chère petite Hortensia ! Au fond, on a si peu d'amies.

Entre Héro, sa perruque à la main.

LA COMTESSE

Ah ! voici Héro ! Héro, je vous aime beaucoup.

HÉRO

J'allais vous le dire, Eliane. Répète-t-on ? Tigre est un tyran de nous faire costumer trois jours d'avance. Je ne sais pas comment me tenir là-dedans.

LA COMTESSE

C'est bien pourquoi il veut que nous nous habituions. Il prétend que ce qui fait le froid des premières heures dans la plupart des bals costumés, c'est que tout le monde se demande si sa culotte tient bien.

HÉRO

Ma culotte tient bien, c'est mon gilet qui est trop étroit. Il m'a tout de même dit que nous serions dispensés de la perruque.

LA COMTESSE

Oui. C'est le dernier caprice du tyran.

HÉRO

C'est dommage. C'est ce que j'aimais le mieux. Je commence à perdre mes cheveux.

LA COMTESSE

Vous avez trente-sept ans, Héro.

HÉRO

A quarante, je serai chauve. Mon médecin m'a dit que je fais trop l'amour. Je me suis brouillé avec lui.

HORTENSIA

Parce qu'il a osé vous dire cela ?

HÉRO

Non. Tout le monde sait à Paris que je suis la
bête de somme de ces dames. C'est lui qui s'est
brouillé avec moi. Il est barbu comme un pro-
phète et chevelu comme Absalon. Quand il m'a
dit que l'amour rendait chauve, je n'ai pas pu
m'empêcher de lui éclater de rire au nez et de
lui dire : « Docteur, j'ai l'impression que vous,
vous ne devez pas vous amuser tous les jours. » Il
a pris cela très mal. Il m'a dit qu'il était marié,
père de famille, qu'il avait autre chose à faire de
plus intéressant dans la vie et qu'il me prédisait
je ne sais combien de prostatites et d'accidents vé-
nériens. Et que si j'échappais de ce côté-là, de toute
façon ce serait la cirrhose du foie. J'avais l'impression qu'il se vengeait sur moi de sa femme et de
ses verres d'eau de Vittel. Le tout m'a coûté deux
mille francs. On ne peut plus s'amuser tranquille.
Il faut payer ces gens-là pour apprendre qu'on va
en mourir.

LA COMTESSE

Il faut vous marier, Héro.

HÉRO

Si vous ne me trouvez pas une femme qui me
fasse oublier toutes les autres, cela ne me fera
jamais qu'une femme de plus à contenter. Mes
forces n'y suffiront pas. Et quand bien même vous
me rendriez amoureux, connaissez-vous une race
de femme qui calme la soif ?

LA COMTESSE

Héro, vous faites le cynique et vous êtes l'homme
le plus tendre du monde. Il n'y a qu'à vous regarder.

HÉRO

Votre goût du paradoxe vous égare, Eliane. Ce
beau regard profond, ce sont des yeux d'ivrogne.
Et je suis tendre c'est vrai, mais j'aime faire
mal.

LA COMTESSE

Je n'ai jamais entendu quelqu'un de vraiment
méchant le dire.

HÉRO

Je ne suis pas méchant. J'aime casser. C'est un
goût que les petits garçons perdent en grandissant. Je l'ai gardé.

HORTENSIA

Quand me ferez-vous souffrir Héro ? Je commence à m'impatienter.

HÉRO

Quand vous voudrez ma chère. Mais cela ne
nous amusera ni l'un ni l'autre. Nous nous ressem-
blons trop.

Entre Villebosse.

VILLEBOSSE

Vous savez la nouvelle ?

HÉRO

Sûrement. Nous savons toujours tout avant vous.

VILLEBOSSE

Il paraît qu'on joue sans perruques ! Nous allons tous être ridicules !

HÉRO

Je ne crois pas que la perruque aurait réussi à vous sauver, Villebosse.

Il va à la cave à liqueurs.

Je peux me servir Eliane ?

LA COMTESSE

Héro ! Nous allons répéter.

HÉRO

Mon talent est au fond d'un verre, Eliane, vous le savez bien. Je ne sais plus lequel, malheureusement. C'est ce qui m'oblige à en vider tant.

VILLEBOSSE, à la comtesse.

Ma chère, cet homme m'exaspère. Je ne souffrirai pas qu'il tourne autour de vous.

LA COMTESSE

Vous êtes ennuyeux, Villebosse. Je n'ai pas pris un amant pour me faire faire des reproches que mon mari ne me fait pas.

VILLEBOSSE

Tigre est un cynique et il ne vous aime pas. Moi je vous aime. Je ne veux pas déclencher un esclandre sous votre toit, mais si ce triste petit fêtard se permet un geste : je le gifle, sous n'importe quel prétexte.

LA COMTESSE

Héro est capable de vous rendre votre gifle et de refuser de se battre.

VILLEBOSSE

Je le ferai carencer ! Il mourra de honte ! Il n'osera plus se montrer nulle part.

LA COMTESSE

Je n'ai pas l'impression que c'est de honte que Héro mourra. Il y a longtemps qu'elle est bue — avec le reste.

VILLEBOSSE

Vous le méprisez, au moins ?

LA COMTESSE

Je ne sais pas.

VILLEBOSSE

Mille diables, Eliane ! J'ai besoin de savoir à l'instant même que vous le méprisez. Sinon je fais ma valise et je ne parais pas dans la pièce.

LA COMTESSE

Si vous jouez ce mauvais tour à Tigre, je ne vous reverrai pas de ma vie.

VILLEBOSSE

Les futilités de Tigre sont le dernier de mes soucis ! Il me remplacera comme il pourra. Je vous aime Eliane, et je suis votre amant. Enfin cela compte tout de même !

LA COMTESSE

Je commence à trouver que cela compte terri-
blement. Mon cher Villebosse, vous avez réussi cette
chose extraordinaire de rendre le péché plus ennuyeux que la vertu.

VILLEBOSSE

C'est bien. Je ferai semblant de ne pas savoir
mon texte. Je lui compromettrai sa représentation ! J'en ai assez d'être le seul ici à souffrir.

HÉRO, qui revient avec son verre.

Que dit Villebosse ?

LA COMTESSE

Il dit qu'il souffre.

HÉRO

Comme c'est intéressant ! Hortensia, mon petit
cœur de roc, venez voir ce gracieux phénomène
naturel : un homme qui souffre d'amour. Il ne
faut pas perdre une occasion de s'instruire.

VILLEBOSSE, lui tourne le dos.

Monsieur, je ne vous parle pas.

> Entre Tigre, tenant Lucile par la main,
> suivis de M. Damiens et du valet de
> chambre costumé lui aussi.

LE COMTE

J'ai valeureusement arraché Sylvia aux douze
monstres.

> Il se suce le doigt.

Je saigne. Il y en a un qui a tenté de me grif-
fer... Nous allons pouvoir commencer, mes enfants,
nous sommes au complet. *La Double Inconstance*
est une pièce terrible. Je vous supplie de ne pas
l'oublier. Sylvia et Arlequin s'aiment sincèrement.
Le prince désire Sylvia, peut-être l'aime-t-il aussi ?
Pourquoi toujours refuser aux princes le droit
d'aimer aussi fort, aussi simplement qu'Arlequin ?
Tous les personnages de sa cour vont se conjurer
pour détruire l'amour d'Arlequin et de Sylvia. En-
lever Sylvia à Arlequin par la force, pour le
compte du prince, ne serait rien; ils vont faire
en sorte que Sylvia aimera le prince et qu'Arlequin aimera Flaminia et qu'ils oublieront leur
amour. C'est proprement l'histoire élégante et
gracieuse d'un crime. Villebosse : Arlequin est
tendre et bon, mais facile et gourmand et naïf. Flaminia et sa sœur sont si belles, elles sentent si bon !
N'oubliez jamais que même lorsqu'il les repousse
et pense tendrement à Sylvia, il les renifle. La
bonne odeur de la soie sur la peau parfumée,
quel piège pour ce petit pauvre ! Flaminia et Li-
sette sa sœur sont dures, coquettes, joueuses, amu-
sées : le petit rustre doit sentir bon aussi pour ces
deux belles dames blasées. Elles jouent, tirent une
griffe, la rentrent — vient le désir comme une
curiosité — et en plus c'est le service du prince,
la grande loi de tout ce petit monde. Alors pourquoi se refuser un plaisir d'un jour qui n'engage
à rien ? Elles sont d'ailleurs d'une autre race, elles
le savent, et Arlequin est comme un petit chien
gentil qui s'ébroue drôlement et qui lèche. On se
laisse lécher par le petit chien, par-dessus ses perles...
C'est un jeu nouveau et cela n'empêche rien. Je

les souçonne d'avoir gardé leurs vrais amants — en
attente. Eliane et Hortensia, j'ai l'impression que
je serais un petit garçon de vous indiquer quelque chose. Vous allez nous faire cela très bien. Trivelin est lourd, empressé, servile, et ravi comme un
chien de meute de participer à la curée pour le
compte du maître. Il a la livrée et c'est bon de
s'amuser à berner ce petit paysan, ce petit paysan
qu'il n'est plus — enfin ! depuis qu'il a pris du
service. N'alourdissons pas, mais il y a comme une
joie secrète et basse, la vengeance du pauvre sur
le pauvre là-dessous. Il en a vu d'autres, et de
plus humiliantes, il faut qu'ils y passent aussi ces
deux petits-là. C'est la loi. Quant à Sylvia...

Il s'est retourné vers Lucile.

Que dire de Sylvia ? Elle n'est pas romanesque,
elle est tendre, elle n'est pas naïve, elle est bonne,
elle n'est pas dure, elle est nette. Les belles dames
de la cour ni le prince ne l'éblouissent. Elle sait
tout, depuis toujours, sans avoir jamais rien appris.
Elle a la plus juste mesure du cœur. Dans ce petit
univers frelaté et ricanant sous ses soies, ses cailloux précieux, ses aigrettes — elle est seule, claire
et nue sous sa petite robe de toile et elle les regarde toute droite et silencieuse s'agiter et comploter
ter autour d'elle. Et tout ce qui faisait la force et le
plaisir du prince est entre ses mains, soudain —
inutile. Sylvia est une petite âme inaccessible qui
le regarde à mille lieues de lui et le trouble. Il y
avait donc autre chose au monde que le plaisir —
et il ne le savait pas ?

Sa voix a un peu changé malgré lui en par-

lant. Hortensia, la comtesse et Héro derrière son verre, le regardent, surpris. Il
conclut sourdement, comme gêné soudain.

Mais je n'ai pas besoin de vous expliquer le
1ôle, Mademoiselle ; vous n'avez qu'à être vous.

Tout le monde est immobile et les regarde...

Le rideau tombe.

DEUXIÈME ACTE

Même décor. En scène : le comte et Lucile en costumes.

LE COMTE

Je sais que j'ai tort de vous parler ainsi, mais je suis au milieu de ma vie et je n'ai pas encore eu la force de me refuser un plaisir !

Il la regarde, s'arrête.

Pardon. J'ai dit le mot qu'il ne fallait pas dire. Un peu de patience... J'apprendrai le vocabulaire aussi.

Il se secoue.

Je ne sais d'ailleurs pas quelle conjuration de cagots et de vieilles filles a pu réussir, en deux siècles, à discréditer le mot plaisir. C'est un des mots les plus doux et les plus nobles de la langue. Je ne suis pas croyant mais, si je l'étais, je crois que je communierais avec plaisir. Le mal et le bien, aux origines, cela a dû être ce qui faisait

plaisir ou non — tout bonnement. Toute la mo-
rale de ces cafards repose précisément sur ce petit
mot fragile et léger qu'ils abhorrent. Pourquoi
l'amour ne serait-il pas d'abord ce qui fait plaisir
au cœur ? On a bien le temps de souffrir par la
suite.

> Il la regarde.

En tout cas, c'est passionnant d'être amoureux
d'une jeune fille muette. Cela vous entraîne au
soliloque et à la méditation. On ne se parle jamais
assez. On est pourtant son interlocuteur le plus
attentif, le plus prompt à la repartie. Voilà des
années que je ne m'étais pas adressé la parole.
Je me méconnaissais : je suis d'un commerce très
agréable. Je m'aperçois que je dis les choses les
plus justes et les plus inattendues. Comme on
juge sur les apparences, trop vite, toujours ! Je me
découvre très tendre et très profond.

LUCILE

Vous savez que nous sommes censés répéter notre
scène et qu'ils écoutent aux portes, très certainement.

LE COMTE

La muette parle ! Comme c'est intéressant une
muette qui se met à parler. Et — merveille ! —
ce n'est pas pour me dire de me taire, c'est seulement pour me dire de parler moins fort.

LUCILE

Si j'avais vraiment voulu vous faire taire, depuis
huit jours que je suis ici, je l'aurais fait. Les filles

ont de la ressource. J'aurais pu aussi vous laisser
parler et ne pas vous entendre. J'ai simplement
peur qu'ils nous écoutent, c'est vrai.

LE COMTE

Pourquoi ne voulez-vous pas me voir autre part
que dans ce salon au moment des répétitions ?
Quel jeu jouez-vous si c'est vrai que je ne vous
ennuie pas ?

LUCILE

Aucun jeu, je vous l'assure. Quand j'aimerai un
homme, à la minute où je le saurai, je ferai tout
pour lui faire plaisir, comme vous dites, et je serai
tout de suite à lui — sans jeu.

LE COMTE

Je me demande quelles sortes de vertus ou de
garanties sera tenu de vous apporter cet important personnage ?

LUCILE

Aucune. Je serai à lui, s'il est pauvre, s'il fuit
et qu'il ne sait même pas où coucher le soir, s'il
a une femme et des enfants et qu'il n'a qu'une
petite heure par semaine à me donner, dans un
café.

LE COMTE, avec un peu d'humeur.

Vous vous environnez de mystère et vous êtes
toutes les mêmes ! Surtout s'il est pauvre, bien sûr,
surtout s'il fuit ! Quand on ne vous prend pas
de force, il vous faut toujours un peu de pitié
pour vous donner.

LUCILE, doucement.

Même s'il est riche et heureux. C'est exactement la même chose.

LE COMTE

Eh bien ! je suis riche et heureux et je voudrais que vous m'aimiez.

LUCILE

Les petits enfants aussi demandent la lune. C'est mon métier, justement, de leur expliquer qu'on ne peut pas l'avoir si facilement. Vous croyez que je ne voudrais pas vous aimer, moi ? Vous ou un autre. Cela doit être si bon de tout donner.

LE COMTE

N'est-ce pas ? Et cela se trouve bien, justement je mendie. Nous devrions pouvoir nous arranger tous les deux.

LUCILE

Mon pauvre monsieur, on ne donne qu'aux riches.

LE COMTE

Expliquez-vous. J'étais dernier en Histoire Sainte, je n'ai jamais très bien su débrouiller les paraboles.

LUCILE

Le garçon qui m'aimera comme je veux n'aura pas besoin de me demander.

LE COMTE

Mais comment saurez-vous qu'il vous aime ? Parce qu'il vous le dira, pauvre petit oiseau ?

LUCILE

Non. Parce qu'il ne songera pas, sans doute, à me le dire. Et surtout pas d'une façon amusante comme vous.

LE COMTE

Et qu'est-ce qu'il fera ce cafard ? Il vous parlera de la lune ? Il gémira ? Il se jettera à vos genoux en se donnant des coups de poing à l'endroit présumé du cœur ?

LUCILE

Il aura honte, il se taira, j'imagine. Il évitera peut-être même mon regard. Ce sera une autre qu'il invitera à danser — mais je saurai que c'est moi qu'il aime.

LE COMTE, après un petit temps.

C'est un peu compliqué comme règle. Mais j'apprendrai. Je suis très doué pour tous les jeux.

LUCILE

J'ai peur que celui-là ne s'apprenne pas.

LE COMTE

Moi quand j'aime je veux être aimable, je veux être drôle — je veux briller. Les coqs font bouffer leurs plumes. Je pense que c'est un geste naturel.

LUCILE

Je voudrais surtout que le garçon que j'aimerai ne sache pas dire ce qu'il fait quand il aime... J'espère bien qu'il sera aussi surpris que moi. Mais répétons plutôt, je vous en prie. Nous bavardons et

nous ne serons jamais prêts. Ce serait terrible, n'est-
ce pas, si nous ne savions pas nos rôles ?

LE COMTE

Soit. Je vous remercie de me remettre aussi gentiment à ma place. Je suis un imbécile. J'ai été un
garçon un peu trop gâté par le sort et j'ai d'assez
mauvaises habitudes, c'est vrai. Oublions tout et
répétons. Vous avez raison.

Il commence.

« Eh quoi, Sylvia, vous ne me regardez pas... »

Il s'arrête.

Un mot encore. Je suis un pauvre diable, c'est
entendu et cela doit être merveilleux d'être simple
et de tout donner. C'est une grâce que je n'ai pas
reçue, voilà tout. Vous êtes une fille ravissante sous
votre léger voile de brume, pour qui sait voir.
Depuis huit jours que vous êtes ici, je me demande
pourquoi, je ne pense qu'à vous. Je vous l'ai dit —
à ma façon — c'est-à-dire en essayant d'être drôle.
Vous m'avez fait savoir que la façon ou la chose
ne vous plaisaient pas. C'est bien. Je suis un homme
bien éduqué, je ne vous poursuivrai pas en essayant de vous prendre la taille dans les couloirs.
Je ne me jetterai pas non plus dans l'étang. Entre
les deux il y a une mesure moyenne qui est le
regret d'une aventure charmante, voilà tout. Répétons, mademoiselle. Ils pourraient nous entendre
en effet. J'ai été bien assez ridicule déjà ce soir,
il est inutile que la chose s'ébruite.

Il commence.

« Eh quoi Sylvia, vous ne me regardez pas. Vous devenez triste toutes les fois que je vous aborde. J'ai toujours le chagrin de penser que je vous suis importun. »

LUCILE, le regarde et sourit.

Vous êtes gentil tout de même.

LE COMTE, s'arrête.

Comment gentil ?

LUCILE

Vous êtes tout à fait ce petit jeune homme avec ses gants blancs, sa canne et son premier melon qui allait arpenter l'avenue du Bois tous les matins.

LE COMTE

Comment ? Qui vous a dit ? A l'époque de mon premier melon, vous vagissiez dans vos couches, ma petite fille !

LUCILE

Cela ne fait rien. Je vous vois très bien. C'est difficile, n'est-ce pas, de grandir ? Mais répétons, je vous en prie.

LE COMTE

C'est déconcertant ! Voilà la première fois que vous me regardez gentiment et c'est pour m'inonder de pitié. Personne ne m'a jamais joué ce tour-là ! Oui. J'ai eu un chapeau melon, un peu trop jeune peut-être — mais c'était la mode à l'époque.

Oui, j'ai été avenue du Bois faire les cent pas tous les jours à midi, mais j'habitais à côté et tous mes amis le faisaient. Mais je n'étais pas tellement ridicule autant que je m'en souvienne... Enfin les filles de votre âge — à cette époque, — ne le trouvaient pas. Et je ne vois vraiment pas ce qui dans mon attitude, a pu vous autoriser à me traiter de coquebin.

LUCILE

Ne vous fâchez pas. C'est plutôt bien d'être resté un vrai petit garçon.

LE COMTE

Mais je ne suis pas un petit garçon ! J'ai fait la guerre, j'avais un canon, un vrai canon. On m'a donné la croix, comme aux enfants c'est vrai, mais je ne la porte pas. Je donne depuis quinze ans les bals les plus réussis de Paris, — des bals de grandes personnes. Je conduis une automobile. J'ai même couru. J'ai été un temps diplomate et si j'avais persévéré, je représenterais peut-être la France en ce moment quelque part. Enfin, je ne sais pas moi ! je suis un homme comme les autres — plutôt plus brillant que les autres, me dit-on. J'en ai assez d'écouter votre petite musique comme un gros serpent subjugué ! Répétons. « Hé quoi, Sylvia ! vous ne me regardez pas... »

LUCILE, se met docilement en place pour répéter.

Vous savez, ce que je dis, cela n'a pas trop d'importance. Si on se mettait à écouter les divagations des filles — on irait loin... Traitez-moi pour ce que je suis. Je ne m'en offenserai pas...

LE COMTE, avec humeur, encore.

Mais je ne vous écoute pas ! Je m'étonne simplement... Allons, allons, répétons. Je suis absurde et c'est vous qui jouez le jeu — quoi que vous disiez et beaucoup plus spirituellement que moi. Je sais perdre, cela fait aussi partie de mon excellente éducation. Mais n'allez pas vous en vanter; c'est tout ce que je vous demande.

LUCILE

M'en vanter ? A qui ?

LE COMTE

Je ne sais pas moi. A votre parrain, à une amie.

LUCILE

Je ne parle jamais à mon parrain. Vous avez dû voir que les sentiments n'étaient pas très tendres entre nous. Et je n'ai pas d'amis.

LE COMTE

Bon. A vos douze petits orphelins peut-être.

LUCILE

Oh ! à eux, je le leur dirai, soyez sûr. Je dois leur raconter tant d'histoires abracadabrantes pour les endormir tous les soirs. Et j'ai justement épuisé mon stock de contes de fées... Mais je transposerai. Cela se passera au Moyen Age. Et d'ailleurs ils ne comprennent jamais rien; ils dorment avant.

LE COMTE, commence.

C'est bon. Répétons. « Hé quoi, Sylvia, vous ne me regardez pas ? Vous devenez triste toutes les fois que je vous aborde, j'ai toujours le chagrin de penser que je vous suis importun. »

LUCILE

« Bon. Importun ! Je parlais de lui tout à l'heure. »

LE COMTE

« Vous parliez de moi ? Et qu'en disiez-vous belle Sylvia ? »

LUCILE

« Oh ! je disais bien des choses. Je disais que vous ne saviez pas encore ce que je pensais. »

LE COMTE

« Je sais que vous êtes résolue à me refuser votre cœur et c'est là savoir ce que vous pensez. »

LUCILE

« Vous n'êtes pas si savant que vous le croyez. Ne vous vantez pas tant. Mais dites-moi, vous êtes honnête homme et je suis sûre que vous me direz la vérité, vous savez comme je suis avec Arlequin, à présent prenez que j'aie envie de vous aimer, si je contentais mon envie, ferais-je bien ? ferais-je mal ? Là, conseillez-moi, dans la bonne foi. »

LE COMTE

« Comme on n'est pas le maître de son cœur, si vous aviez envie de m'aimer vous seriez en droit de vous satisfaire, voilà mon sentiment. »

LUCILE

« Me parlez-vous en ami ? »

LE COMTE

« Oui, Sylvia, en homme sincère. »

LUCILE

« C'est mon avis aussi; j'ai décidé de même et je crois que nous avons raison tous les deux, ainsi je vous aimerai s'il me plaît sans qu'il ait le plus petit mot à dire. »

LE COMTE

« Je n'y gagne rien car il ne vous plaît point. »

LUCILE

« Ne vous mêlez pas de deviner... »

LE COMTE, la coupe soudain.

C'est cela pardi ! C'est tout simple. Vous m'avez menti, vous aimez quelqu'un. Quelque petit jeune homme qui s'occupe aussi de puériculture et à qui vous écrivez quatre grandes pages tous les soirs dans votre chambre.

LUCILE

Je crois que vous ne dites plus le texte.

LE COMTE

Je vous pose une question. Répondez-moi, tout de suite. Ils vont entrer.

LUCILE, le regarde et dit gravement.

Non. Je n'aime personne et je n'ai encore jamais aimé.

Les autres entrent.

LA COMTESSE

Alors cette dernière scène ?

LE COMTE

Elle va fort bien. Nous trouvons que nous avons beaucoup de talent, tous les deux.

LA COMTESSE

Nous qui en avons moins, il faudrait peut-être que nous répétions aussi.

LE COMTE

Voulez-vous que nous reprenions toute la pièce ? M. Damiens dit qu'il est encore incertain.

LA COMTESSE

M. Damiens a l'habitude du public. Du temps qu'il était aux Assises, il a toujours arraché les larmes à qui il voulait. Il s'en tirera sûrement mieux que nous tous.

MONSIEUR DAMIENS

Voire ! J'étais bien jeune, madame, à l'époque, j'avais le trémolo moins honteux. Et puis j'avais de grandes manches. Et le texte était de mon cru.

LA COMTESSE

Ne vous faites pas plus modeste que vous n'êtes, monsieur Damiens, par cabotinage, pour vous faire entendre encore une fois. Je n'ai pas de craintes pour vous. D'ailleurs nous n'avons plus le temps de revoir toute la pièce avant le dîner. Nous la verrons ce soir.

LE COMTE

Dans ce cas reprenons le début du deuxième acte. Nous passerons les tirades de Sylvia. Ma chère Hortensia, c'est pour vous qu'on répète. Je vous trouve un peu méchante dans votre scène avec Sylvia. C'est cousu de fil blanc. Soyez charmante, vous le pouvez. Il faut la duper cette fille-là, ne l'oubliez pas.

HORTENSIA, se pique soudain.

Si vous pensez que je ne peux pas tenir le rôle, mon petit Tigre...

LE COMTE

Hortensia, il vous va comme un gant ! Je ne vous demande qu'une nuance... Ces comédiens sont des gens impossibles, décidément. Dès qu'ils ont ouvert la bouche, le son de leur propre voix les enchante comme la flûte d'un charmeur de serpents. Ils s'engourdissent de plaisir en s'entendant et ils croient, dur comme fer, que nous partageons leur extase. Le naturel, le vrai, celui du théâtre, est la chose la moins naturelle du monde, ma chère. N'allez pas croire qu'il suffit de retrouver le ton de la vie. D'abord dans la vie le texte est toujours si mauvais ! Nous vivons dans un monde qui a complètement perdu l'usage du point-virgule, nous parlons tous par phrases inachevées, avec trois petits points sous-entendus, parce que nous ne trouvons jamais le mot juste. Et puis le naturel de la conversation, que les comédiens prétendent retrouver : ces balbutiements, ces hoquets, ces hésitations, ces bavures, ce n'est vraiment pas la peine de réunir cinq ou six cents personnes dans une salle et de leur deman-

der de l'argent, pour leur en donner le spectacle.
Ils adorent cela, je le sais, ils s'y reconnaissent. Il
n'empêche qu'il faut écrire et jouer la comédie
mieux qu'eux. C'est très joli la vie, mais cela n'a
pas de forme. L'art a pour objet de lui en donner
une précisément et de faire par tous les artifices
possibles — plus vrai que le vrai. Mais je vous
ennuie. Je commence à me prendre au sérieux, moi
aussi. Attaquons le deux. A vous, Sylvia.

LUCILE, à Hortensia.

« Oui je vous crois. Vous paraissez me vouloir
du bien. Aussi vous voyez que je ne souffre que
vous. Je regarde tous les autres comme mes enne-
mis. Mais où est Arlequin ? »

HORTENSIA

« Il va venir, il dîne encore. »

HÉRO, dans son verre,
lorgnant Villebosse qui rumine dans son coin.

Erreur ! Il ne dîne pas, il souffre. Et s'il a l'air de
dîner c'est qu'il remâche sa rancœur.

VILLEBOSSE

Monsieur, je vous ai déjà dit que je ne vous
parlais pas ! Ma patience a des bornes, sachez-le.

LE COMTE

Héro, sois sérieux pour une fois !

HÉRO

Impossible mon cher, je ne suis pas encore ivre.
Je serai sérieux un peu plus tard.

LUCILE, enchaîne.

« C'est quelque chose d'épouvantable que ce pays-ci ! Je n'ai jamais vu de femmes si civiles, d'hommes si honnêtes. Ils ont des manières si douces, tant de révérences, tant de compliments, tant de signes d'amitié. Vous diriez que ce sont les meilleures gens du monde, qu'ils sont pleins de cœur et de conscience. Quelle erreur ! »

Au comte.

Je passe ?

LE COMTE

Oui. Passez. Vous dites tout cela fort bien.

LUCILE

... « Ne valoir rien, tromper son prochain, lui manquer de parole, être fourbe et mentir. Voilà le désir des grandes personnes de ce maudit endroit-ci. Qu'est-ce que c'est que ces gens-là ? D'où sortent-ils ? De quelle pâte sont-ils ? »

HORTENSIA

« De la pâte des autres hommes, ma chère Sylvia, que cela ne vous étonne pas. Ils s'imaginent que le mariage du prince ferait votre bonheur. »

LUCILE

« Mais ne suis-je pas obligée d'être fidèle ? N'est-ce pas mon désir d'honnête fille ? Et quand on ne fait pas son devoir est-on heureuse ? Par-dessus le marché cette fidélité n'est-elle pas mon charme ? »

Au comte.

Je passe ?

LE COMTE

Non. C'est trop joli. Continuez.

LUCILE

« Et on n'a pas le courage de me dire : Là, fais un mauvais tour qui ne te rapportera que du mal, perds ton plaisir et la bonne foi. Et parce que je ne veux pas moi, on me trouve dégoûtée. »

HORTENSIA

« Que voulez-vous, ces gens-là pensent à leur façon et souhaiteraient que le prince fût content. »

LE COMTE

Bien, Hortensia !

LUCILE

« Mais ce prince que ne prend-il une fille qui se rende à lui de bonne volonté ? Quelle fantaisie d'en vouloir une qui ne veut pas de lui. Quel goût trouve-t-il à cela ? »

LA COMTESSE, au comte
que Lucile a regardé en jouant.

Signalez-lui que le prince n'est pas en scène, Tigre. C'est Hortensia qu'il faut regarder.

LUCILE, enchaîne.

« Car c'est un abus que tout ce qu'il fait : tous ces concerts, ces comédies, ces grands repas qui ressemblent à des noces, ces bijoux qu'il m'envoie. Tout cela lui coûte un argent infini. C'est un abîme, il se ruine. Demandez-moi ce qu'il y gagne. Quand il me donnerait toute la boutique d'un mer-

cier cela ne me ferait pas tant de plaisir qu'un
petit peloton qu'Arlequin m'a donné. »

HORTENSIA

« Je n'en doute pas. Voilà ce que c'est l'amour.
J'ai aimé de même. Et je me reconnais au peloton. »

Au comte.

Est-elle sincère en disant cela ? Je sens que je
parle faux. A-t-elle aimé vraiment ? A-t-elle un
jour préféré un petit peloton de laine à tous les
bijoux du prince ?

LE COMTE

Et vous, ma chère Hortensia ?

HORTENSIA

Tigre, il ne s'agit pas de moi. Si c'est un jeu
que vous jouez il n'est pas drôle ! Vous venez de
nous dire que nous n'étions pas nous...

LE COMTE

Pardon. Quand j'ai distribué la pièce j'ai très
bien su ce que je faisais. Vous l'avez parfaitement
dite votre réplique.

HORTENSIA

Je l'ai donnée « sincère ».

LE COMTE

Et comme vous n'avez jamais préféré le moindre
peloton de laine à votre plaisir, en la donnant
« sincère » vous avez eu l'air abominablement faux.
C'était parfait. C'est ce que je voulais. Continuez.

HORTENSIA

Vous jouez de nous comme de totons ! Vous lasserez bientôt notre patience.

LE COMTE

Tous les metteurs en scène géniaux font ainsi. Encore heureux que je ne hurle pas, que je ne déchire pas les brochures. Il n'y a pas de mise en scène de génie sans crises de nerfs. L'insulte est la monnaie courante, quelques très grands metteurs en scène vont jusqu'à la gifle. Et ne croyez pas que cela soit gratuit. Cela se sent toujours, après, quand on écoute la pièce, si le maître a été vraiment viril. Une pièce mise en scène par un homme poli, il est bien rare que cela sente le génie. Enchaînez, Sylvia, enchaînez. « Hé bien ! qu'il tâche de m'oublier... »

LUCILE

« Hé bien ! qu'il tâche de m'oublier, qu'il me renvoie, qu'il voie d'autres filles... Il y en a ici qui ont leur amant comme moi, mais cela ne les empêche pas d'aimer tout le monde. J'ai bien vu que cela ne leur coûte rien. Mais pour moi, c'est impossible. »

HORTENSIA

« Eh ! ma chère enfant, avons-nous rien ici qui vous vaille, qui approche de vous. »

LE COMTE

Fort bien, le fiel sous le sourire. Vous avez dû travailler toute la nuit pour mettre cela au point, Hortensia !

LUCILE

« Oh que si ! Il y en a de plus jolies que moi
et quand elles seraient à moitié moins jolies, cela
leur fait plus de profit qu'à moi d'être tout à fait
belle. J'en vois ici de laides qui font si bien aller
leur visage qu'on y est trompé. »

LA COMTESSE

C'est Flaminia que vous regardez, ma petite fille.
Je ne suis pas encore en scène. J'entre plus tard.

HORTENSIA

« Oui mais le vôtre va tout seul et cela est charmant. »

LUCILE

« Bon ! Moi ! Je ne parais rien. Je suis tout
d'une pièce auprès d'elles. Je demeure là; je ne
vais ni ne viens. Au lieu qu'elles, je les vois toujours d'humeur joyeuse. Elles ont des yeux qui
caressent tout le monde, elles ont une mine hardie,
une beauté libre qui ne se gêne point, qui est sans
façons. Cela plaît davantage que non pas une
honteuse comme moi, qui n'ose regarder les gens
et qui est confuse qu'on la trouve belle. »

LA COMTESSE

Je trouve qu'elle devrait le dire avec plus de
modestie. Vous ne le pensez pas, Tigre ? Elle a
l'air de vouloir attaquer à son tour.

LE COMTE

Mais elle attaque, elle attaque ! Tout le monde
commence à avoir envie qu'elle attaque !

LA COMTESSE

Et puis enfin mademoiselle est charmante, nous le trouvons tous et je pense pour ma part que vous avez fort bien fait de lui donner le rôle. Mais enfin — je puis le dire devant elle car elle a de l'esprit — elle n'a pas un éclat qui justifie cette assurance de sa beauté qu'il y a dans le texte. Elle devrait dire cela plus simplement.

LE COMTE

Je ne suis pas de votre avis. Je trouve qu'elle le dit fort bien. Continuez, Hortensia.

HORTENSIA

« Et voilà justement ce qui touche le prince, voilà ce qu'il estime, c'est cette ingénuité, cette beauté simple, ce sont ces grâces naturelles. Et croyez-moi, ne louez pas tant les femmes d'ici car elles ne vous louent guère. »

LUCILE

« Qu'est-ce donc qu'elles disent ? »

HORTENSIA

« Des impertinences. Elles se moquent de vous, raillent le prince, lui demandent comment se porte sa beauté rustique. Y a-t-il de visage plus commun ? disaient, l'autre jour, ces jalouses entre elles. De taille plus gauche ? Là-dessus l'une vous prenait par les yeux, l'autre par la bouche. Il n'y avait pas jusqu'aux hommes qui ne vous trouvaient pas trop jolie. J'étais dans une colère ! »

LUCILE

« Pardi ! Voilà de vilains hommes de trahir comme cela leur pensée pour plaire à ces sottes-là. »

LE COMTE

Ah ! qu'elle est drôle ! Vous ne trouvez pas qu'elle est drôle quand elle dit cela ? J'adore ce petit personnage.

HORTENSIA

« Sans difficulté. » Ne coupez pas toujours Tigre, c'est agaçant ! « Sans difficulté. »

LUCILE

« Que je hais ces femmes-là ! Mais puisque je suis si peu agréable à leur compte, pourquoi donc est-ce que le prince m'aime et qu'il les laisse là ? »

HORTENSIA

« Oh ! elles sont persuadées qu'il ne vous aimera pas longtemps : que c'est un caprice qui lui passera et qu'il s'en ira tout le premier. »

LE COMTE

Dieu, que vous l'avez bien dite celle-là, Hortensia ! Vous y êtes, ma chère, vous y êtes, vous n'avez qu'à vous laisser aller. Laissons le reste et prenons mon entrée avec Eliane, c'est extrêmement important.

Il prend la comtesse par le bras.

Venez, Eliane, nous entrons.

LUCILE

« Comment, vous voilà monsieur ? Vous saviez donc bien que j'étais ici ? »

LE COMTE

« Oui mademoiselle, je le savais. Mais vous m'avez dit de ne plus vous voir et je n'aurais pas osé paraître sans madame, qui a souhaité que je l'accompagnasse et qui a obtenu du prince l'honneur de vous faire la révérence. »

LUCILE

« Je ne suis pas fâchée de vous revoir et vous me trouvez bien triste. A l'égard de cette dame, je la remercie de la volonté qu'elle a de me faire une révérence. Je ne la mérite pas mais qu'elle me la fasse puisque c'est son désir. Je lui en rendrai une comme je pourrai. Elle m'excusera si je la fais mal. »

LA COMTESSE

« Oui, ma mie, je vous excuserai de bon cœur. Je ne vous demande pas l'impossible. »

LUCILE

« Je ne vous demande pas l'impossible ! Quelle façon de parler ! »

LA COMTESSE

« Quel âge avez-vous ma fille ? »

LUCILE

« Je l'ai oublié, ma mère. »

HORTENSIA, à Lucile.

« Boh ! »

LA COMTESSE

« Elle se fâche, je pense ? »

LE COMTE

« Mais, madame, que signifie ce discours-là ?
Sous le prétexte de venir saluer Sylvia, vous lui
faites une insulte ? »

LA COMTESSE

« Ce n'est pas mon dessein. Mais j'avais la curiosité de voir cette petite fille qu'on aime tant, qui
fait naître une si grande passion et je cherche ce
qu'elle a de si aimable. On dit qu'elle est naïve,
c'est un agrément campagnard qui doit rendre amusante. Priez-la de nous donner quelques traits de
naïveté. Voyons son esprit. »

LUCILE

« Hé non ! madame, ce n'est pas la peine. Il n'est
pas si plaisant que le vôtre. »

LA COMTESSE

« Ah ! Ah ! Vous demandez du naïf, en voilà ! »

LE COMTE, à la comtesse.

« Allez-vous-en, madame. »

LA COMTESSE

« Cela m'impatiente à la fin et, si elle ne s'en
va pas, je m'en irai tout de bon. »

LE COMTE, à la comtesse.

« Vous me répondrez de votre procédé. »

LA COMTESSE

« Adieu ! Un pareil objet me venge assez de
celui qui en fait le choix. »

LE COMTE

Parfait. Scène III.

LA COMTESSE, enchaîne.
C'est presque le même ton.

Assez. Je suis fatiguée Tigre et j'aimerais avoir une conversation avec vous. Voulez-vous monter avec moi jusqu'à ma chambre ?

HORTENSIA

C'est cela, arrêtons-nous un peu. Tigre trouve tout cela très drôle j'en suis sûre, nous moins. Nous avons besoin de souffler, mon cher.

LE COMTE

C'est bon : repos. La répétition reprendra dans un quart d'heure.

Hortensia est sortie.

LE COMTE, à Héro.

Mon cher Héro, les femmes n'entendent rien au théâtre. Sorties de leur propre représentation, cela ne les amuse plus.

HÉRO

Elles devraient boire, cela rend tous les jeux gracieux. Vous aussi, Villebosse.

Villebosse se détourne, excédé.

VILLEBOSSE

Un jour je vous proposerai un jeu qui sera moins gracieux, monsieur !

LA COMTESSE, du seuil.

Hé bien ! Tigre, venez-vous ?

VILLEBOSSE, qui s'est levé, soupçonneux.

Où vous retrouverai-je, Eliane ?

LA COMTESSE

Je ne sais pas. Vous m'ennuyez, Villebosse.

> Ils sont sortis, le comte haussant les épaules,
> Villebosse les suivant, soucieux. Restent
> Lucile, Damiens et Héro.

HÉRO, sortant avec son verre, va à Lucile.

Mademoiselle, vous tenez votre rôle à ravir. C'est un ivrogne qui vous parle : je buvais vos paroles. J'en ai oublié de boire autre chose pendant tout ce temps-là. Je l'écrirai demain à mon médecin et il vous enverra sans doute un petit mot de remerciement... Je vais quitter aussi le Louis XV. Mon gilet est trop étroit. Et moi qui n'en ai jamais bu, il paraît que j'ai des litres d'eau dans le ventre... La vie est pleine de ces contradictions curieuses. Vous ne le saviez pas encore, mon petit cœur ?

> Il s'est approché un peu trop près de Lu-
> cile en lui parlant, elle recule impercepti-
> blement.

Vous reculez ? Je sens mauvais peut-être ? Je sens l'alcool. Que voulez-vous donc que je sente ? Mais ce n'est pas une mauvaise odeur. On conserve précisément dans l'alcool le foie des grands alcooliques pour faire peur, après, aux bons petits jeunes gens. Est-ce que je vous fais peur ?

LUCILE

Non.

HÉRO

C'est parce que vous ne voyez pas mon foie. Il
paraît que c'est une floraison effroyable. Une forêt
vierge de fleurs de toutes les couleurs. Vous n'aimez pas les fleurs je vois. C'est bien. Je vous
dégoûte sans doute ?

> Elle ne répond pas, il est tout près d'elle,
> son verre à la main. Il sourit mécham-
> ment.

C'est bien aussi. Il faut que je dégoûte un peu.
C'est dans mon rôle. Pas celui de la pièce de Marivaux, dans l'autre, — celle que je joue vraiment.

> Se dirigeant vers la porte, il passe près de
> Damiens.

Elle est charmante votre filleule, monsieur Damiens, mais si au lieu de m'appeler Héro de...
— mon nom est trop long, je vous en fais grâce —
je m'appelais tout bonnement M. Damiens, je
vous jure que je la remmènerais.

> Il sourit mystérieusement du seuil.

Serment d'ivrogne !

> Il est enfin sorti. Lucile a comme un petit
> frisson de dégoût et va sortir. M. Damiens
> a un geste pour la retenir.

MONSIEUR DAMIENS

Il faut que je vous parle, Lucile.

LUCILE, fermée.

Je vous écoute.

MONSIEUR DAMIENS

Vous êtes jeune. Vous ne savez pas grand-chose du monde ni de la vie. A la mort de votre pauvre mère, vous avez voulu travailler pour être indépendante et cela partait d'un bon sentiment. Quoique, vous le saviez, vous n'y étiez pas obligée...

LUCILE

Pas obligée ? Maman vivait de sa pension de veuve. A sa mort je suis restée avec une salle à manger Renaissance, trois fauteuils Régence qu'on avait toujours crus vrais, et qui étaient faux, mon phonographe et un vieux chat. Que pouvait-il me rester d'autre à faire ?

MONSIEUR DAMIENS

J'étais là.

LUCILE

Vous êtes mon parrain, c'est vrai. Et vous avez été très bon de vous occuper de moi, mais je ne voulais rien vous devoir.

MONSIEUR DAMIENS, doucement.

Pourquoi, Lucile ?

LUCILE

Vous le savez.

MONSIEUR DAMIENS

Cette offre que je vous ai faite vous a paru monstrueuse sur le coup. Dieu sait ce que rêve une petite fille de dix-huit ans !... C'est pourquoi je vous ai laissé faire. J'ai voulu que la vie et le travail vous apprennent un peu la triste sagesse, qu'ils vous montrent ce qu'ils ont, en réalité, à offrir. Je sais que ces deux ans ont été très durs pour vous.

LUCILE

Me suis-je plainte ?

MONSIEUR DAMIENS

Jamais, non, car vous avez aussi beaucoup d'orgueil. Mais croyez-vous que c'est avec plaisir que je vous ai vue vous débattre dans vos fins de mois, avec votre petit chapeau cent fois rafistolé, vos gants toujours troués, vos bas sans âge ? Vous êtes jolie et je sais qu'à votre âge on a envie d'être coquette. J'aurais voulu vous donner un peu de douceur.

LUCILE

J'aurais aimé en recevoir, bien sûr. Si vous croyez que je suis une héroïne !... Mais pas de vous.

MONSIEUR DAMIENS

Vous n'avez personne au monde. J'avais bien ce droit il me semble — et même ce devoir.

LUCILE

Vous savez que cette conversation m'est pénible. Ne la reprenons pas je vous en prie. J'ai reçu de vous des poupées et des boîtes de couture quand j'étais une petite fille — et puis vous m'avez trouvé cette place. Vous avez rempli votre devoir envers moi. Je me débrouillerai très bien toute seule maintenant.

MONSIEUR DAMIENS

Pourquoi ne me permettez-vous pas de vous donner la sécurité dont vous avez besoin ?

LUCILE

Ce n'est pas de sécurité qu'on a besoin à mon âge.

MONSIEUR DAMIENS

Je ne parle pas que de sécurité matérielle. Une affection sincère, des attentions, une protection aussi.

LUCILE, le regarde bien en face.

Et contre qui pensiez-vous donc me protéger, si j'acceptais ce que vous m'avez proposé ? Contre les autres hommes qui pourraient me proposer la même chose que vous ?

MONSIEUR DAMIENS, se rapproche,
un peu plus âpre.

Contre d'autres hommes plus légers qui n'ont pas l'amour et le respect que j'ai pour vous. D'autres hommes qui ne pourraient penser qu'à prendre leur plaisir d'un soir avec vous.

LUCILE

N'avez-vous pas appris que je savais me défendre ?

MONSIEUR DAMIENS

Contre moi peut-être, qui ai eu l'honnêteté de vous dire ce que je vous offrais. Mais contre un autre plus jeune et plus brillant qui vous mentirait...

LUCILE

S'il est plus jeune et plus brillant, de toute façon cela sera moins triste, même si cela dure moins longtemps. Surtout si cela dure moins longtemps. L'ignominie, il vaut tout de même mieux que ce ne soit pas un projet d'avenir... Et du moins ce plaisir d'un soir sera peut-être partagé.

MONSIEUR DAMIENS

Je ne peux pas vous entendre parler avec ce cynisme ! Je regrette maintenant de vous avoir introduite dans cette maison !

LUCILE

Parce qu'on m'y déguise et qu'on m'y fait aussi jouer la comédie pour le même prix ? Dans ma condition je sais qu'il faut accepter certaines choses... La directrice de la maison d'enfants où j'ai commencé à travailler m'a tout de suite fait comprendre cette loi, rassurez-vous. Et d'une façon plus sordide. J'ai eu mon petit lot d'humiliations en échange de mon assiette de soupe. Je suis au courant, maintenant. Et si c'est cela que vous souhaitiez que la vie m'apprenne, c'est fait.

MONSIEUR DAMIENS

Ma petite fille, cet homme vous désire et il n'aura de cesse qu'il ne soit arrivé à ses fins. Et tout le monde ici a vu son manège. Vous les avez observés tout à l'heure pendant cette répétition ? La comtesse est une femme de tête, elle lui passe ses maîtresses comme il lui passe de son côté, ses amants, pourvu que le jeu se joue dans leur monde, avec des cartes qu'elle connaît. Elle n'acceptera jamais qu'il vous courtise. Elle va vous abreuver d'humiliations. Vous chasser.

LUCILE

C'est cela qui vous fait si peur ? Que je perde ma place ? Je retournerai dans une autre maison d'enfants, voilà tout. Il y a une chose que vous ne savez pas, c'est comme on est riche quand on n'a rien à perdre. Les enfants sont tous pareils, ils braillent autant, font les mêmes petites saletés aux mêmes moments inattendus et exigent les mêmes baisers, le soir, de cette petite fille à peine plus grande qu'eux, qu'on paie pour faire semblant d'être leur mère.

MONSIEUR DAMIENS

Vous ne pouvez pas être la maîtresse de cet homme !

LUCILE

Je ne le serai pas, rassurez-vous. Mais pour d'autres raisons qui ne regardent que moi.

MONSIEUR DAMIENS

Il se moque de vous; c'est un coureur, c'est un...

Entre le comte brusquement, il est un peu pâle.

LE COMTE

Excusez-moi, monsieur Damiens, je dois accaparer encore votre filleule. J'ai une scène à mettre au point avec elle avant la répétition de ce soir. Vous permettez ?

MONSIEUR DAMIENS, raide.

Je vous la confie, monsieur le comte. Je la mettais

justement en garde contre les tentations d'un
milieu et d'une vie qui ne sont pas les siens. C'est
charmant cette idée de l'avoir mise de la comédie
et je vous remercie, ainsi que Mme la comtesse,
d'avoir la bonté de la traiter comme votre égale,
mais je ne voudrais pas qu'elle oublie qu'elle est
là pour gagner sa vie, en somme, et garder des
enfants.

LE COMTE

Mon cher Damiens, j'espérais faire mon possible
pour qu'elle l'oublie, au contraire. Ce n'est pas
si drôle qu'il faille y penser tout le temps ! Et
si je dois veiller à quelque chose, c'est à ce que
personne ne s'avise de le lui rappeler. Mlle Lucile
est mon invitée et si, en plus de la grâce qu'elle
nous fait de jouer avec nous — et avec beaucoup
plus de talent que nous — cette comédie de Marivaux, elle a le courage et la gentillesse de s'occuper des douze monstres de ma tante, au lieu de
dormir jusqu'à midi comme les autres et de se
pomponner devant sa glace, c'est une raison de plus
que nous avons de la respecter. Je compte l'apprendre à tout le monde.

MONSIEUR DAMIENS

Si vous voulez bien vous charger vous-même de
ce soin, alors je vous laisse, monsieur le comte,
complètement rassuré.

Il s'incline et sort.

LE COMTE, se retourne vers Lucile.

Ne dites rien. D'abord, je vous demande pardon.
Je suis entouré depuis toujours de mufles de bonne

compagnie, et j'ai fini par m'y habituer jusqu'à en devenir peut-être un, moi aussi. Avant la représentation, il n'y a rien à faire... Une fête est une fête et celle-là doit être donnée... Elles vont vous rendre la vie intenable, mais je sais que vous êtes courageuse. Je sors d'une conversation avec ma femme — et, moi qui pensais tout savoir, je viens d'apprendre jusqu'où une femme d'esprit et de goût pouvait se laisser aller dans la sottise et la bassesse, lorsqu'elle sent quelque chose de dangereux et d'insolite dans l'air. Parce qu'ils ont compris, tous, que je vous aimais et que ce n'était pas un caprice. Alors voilà ce que je vous propose. Ne dites rien avant que j'aie fini. Vous pensez bien que je n'accepterai jamais de continuer à mener mon heureuse petite vie de plaisirs, pendant que vous serez en train de moucher et de nettoyer des moutards, qui ne sont même pas les vôtres, quelque part dans ce vaste monde... Vous valez mieux que cela et mieux aussi que tout ce que j'ai à vous offrir personnellement.

> Il arrête d'un geste ce qu'elle allait dire et continue.

J'ai peu d'argent — que cela vous mette à l'aise — il y a belle lurette que j'ai croqué mes héritages mais, en vendant les bribes qui me restent, je puis réaliser de quoi vous faire partir à l'étranger. Vous y reprendrez vos études interrompues — sans être obligée à ce travail imbécile — vous serez libre et, dans quelques années ou dans quelques mois, je souhaite de tout mon cœur que vous trouviez le garçon de votre âge que vous méritez et qui bâtira une vraie vie avec vous. Je ne vous reverrai jamais.

> Un petit temps. Il ajoute.

Je pense que l'argent vous gêne, mais c'est nécessaire et l'argent n'est rien pour les êtres libres — des jetons. Il ne faut pas être trop petite bourgeoise avec lui, et je vous demande bien humblement de partager ce qui me reste avec moi. Vous partirez le lendemain de la fête.

> Encore un petit temps, il conclut.

C'est une proposition d'égoïste. D'un égoïste qui ne vous a même pas tenue une fois dans ses bras et qui a beaucoup de peine.

> Il lui demande humblement.

Acceptez-vous ?

> LUCILE, le regarde et dit :

Non. Bien sûr.

> Il lève les yeux sur elle, désemparé, elle ajoute
> doucement.

Je préfère rester maintenant.

> Il la regarde un instant hésitant, puis il la
> prend soudain dans ses bras et l'embrasse.

LE COMTE

Mon petit.

> Elle murmure, dans ses bras, se blottissant.

LUCILE

On est trop bien. Vous croyez que c'est cela qu'ils

appellent la tendresse ? Je croyais que cela ne venait que beaucoup plus tard ?

LE COMTE

Je le croyais aussi. Nous avons dû faire vite.

LUCILE

Nous avons bien fait. C'est le meilleur.

> Ils sont dans les bras l'un de l'autre, Lucile murmure soudain.

J'ai peur.

LE COMTE

De quoi ?

LUCILE

De ne pas vous amuser longtemps. Je ne suis pas belle.

LE COMTE

Si.

LUCILE

Pas comme Hortensia.

LE COMTE

Non. Tant mieux.

LUCILE

Je ne suis pas intelligente.

LE COMTE

Etes-vous assez sotte pour vouloir me faire dire « Si » ?

LUCILE

En tout cas, je suis incapable de dire quelque
chose de drôle au bon moment.

LE COMTE

Je l'espère bien.

LUCILE

Je suis pauvre. Et ce n'est pas l'état qui est
grave, c'est l'habitude. Je m'habille mal et si j'avais
de l'argent pour m'habiller, je risquerais de m'habiller plus mal encore. On ne peut pas ne pas voir
sur mes mains que j'ai fait une grande quantité
de petites lessives — sans doute même quelques
vaisselles — et qu'en tout cas ce sont des mains
qui ont servi... Qu'est-ce qui me reste pour que
vous m'aimiez, une fois l'attrait de la nouveauté
passé ?

LE COMTE, doucement.

De n'être pas belle comme les autres, d'être
gauche, d'être pauvre et au lieu de griffes san-
glantes alourdies de cailloux, d'avoir deux petites
mains nues, aux ongles courts — qui ont servi.

Il les prend et les embrasse.

Deux mains de vraie femme.

LUCILE, murmure.

Si c'était le goût des bergères qui vous attire
vers moi, j'aurais si honte que j'en mourrais.

LE COMTE

Ce serait bien bête de ne pas comprendre, vous
qui comprenez toujours tout. Pensez-vous que ce

soit par hasard que tout au long des légendes les princes prisonniers aient cherché si avidement une fille pauvre qui les délivre ? Et pensez-vous que cela leur fut facile ? Le monde est plein de midinettes prêtes à adorer les princes quels qu'ils soient.

LUCILE

Tout le monde croira que c'est pour cela que je vous aime !

LE COMTE

Comptez qu'ils miseront là-dessus aussi, pour nous séparer. Le croirez-vous, vous ?

LUCILE

Non.

LE COMTE

Moi non plus. Alors, petite sotte, si nous ne le croyons ni l'un ni l'autre, qui est-ce « le monde » ? Vous me présenterez.

LUCILE, doucement, montrant
les autres qui entrent.

C'est eux.

LE COMTE

Des comparses. De tout petits rôles dans la pièce que nous allons jouer tous les deux.

Il enchaîne à voix haute.

« Oui Sylvia, je vous ai caché jusqu'ici mon rang pour essayer de ne devoir votre tendresse qu'à la mienne. Je ne voulais rien perdre du plaisir qu'elle pouvait me faire... A présent que vous me

connaissez, vous êtes libre d'accepter ma main et
mon cœur ou de refuser l'un et l'autre », etc.,
etc...

> Il se retourne vers les autres.

Je vois que vous êtes exacts, merci... J'espère que
vous vous êtes reposés. Si vous le voulez bien,
avant de répéter encore une fois la pièce, nous
allons nous occuper d'une chose capitale que les
comédiens n'oublient jamais de régler la veille des
générales. Ils y passent le temps qu'il faut, le texte
lui-même ne fût-il pas au point. Je veux parler de
l'ordre des saluts pour les acclamations finales... Je
vous propose l'ordre suivant qui me paraît logi-
que... Je donne la main à Lucile, Eliane à ma
droite, puis Héro, Hortensia; Damiens de l'autre
côté et Villebosse...

> Il le cherche.

Où est Villebosse ?

> VILLEBOSSE, entre furieux comme toujours.

On m'avait dit qu'on répéterait sur la terrasse !
Il est quatre heures. Répétons-nous ou ne répétons-
nous pas ?

LE COMTE

Un instant Villebosse. Pour le moment, nous
faisons une chose encore plus importante au
théâtre : nous saluons...

> Ils saluent tous le public dans l'ordre indi-
> qué par le comte, le rideau tombe rapide-
> ment.

TROISIÈME ACTE

Même décor.
La comtesse et Hortensia en scène.
Hortensia est assise, la comtesse debout, marche
nerveusement en silence. Entre Villebosse.

VILLEBOSSE

Répétons-nous ou ne répétons-nous pas?

LA COMTESSE

Vous nous ennuyez, Villebosse.

HORTENSIA

Tigre a exigé que nous soyons habillés pour
quatre heures. Nous l'attendons.

VILLEBOSSE

Enfin, qu'est-ce qui se passe depuis hier? On
répète sans donner le ton — ou bien, sur certaines
répliques on en donne trop, tout à coup, comme si
elles étaient chargées de sous-entendus qui m'échap-
pent — tout le monde ricane soudain on ne sait
pas pourquoi; tout le monde s'insulte; cette petite

pleure; Tigre devient tout rouge et quitte la répétition... Aujourd'hui nous sommes en retard d'un heure. Nous passons dans trois jours que diable ! et j'ai un rôle écrasant. Je ne tiens pas à être ridicule.

LA COMTESSE

Laissez-nous, Villebosse. J'ai à parler à Hortensia.

VILLEBOSSE

Eliane, vous non plus, je ne vous comprends plus. Votre attitude avec moi est absolument déroutante. Enfin, que vous ai-je fait ?

LA COMTESSE

Rien. Absolument rien. Et c'est là le drame. Laissez-nous.

VILLEBOSSE

Mais je souffre, Eliane !

LA COMTESSE

Allez souffrir un moment dans le jardin. J'ai à parler à Hortensia. Nous vous rappellerons.

VILLEBOSSE

Je ne comprends vraiment pas comment j'ai pu vous déplaire depuis hier.

LA COMTESSE

Mon pauvre ami, il n'est pas question de vous. Je vous demande de nous laisser un instant, c'est tout.

VILLEBOSSE

Je vous laisse, mais je suis à bout. J'attends que

vous me rappeliez sur la terrasse. Vous me devez
une explication.

LA COMTESSE

Vous l'aurez. Nous l'aurons tous.

Villebosse sort.

Ma petite Hortensia je ne vous comprends pas.
Enfin ! il courtise cette fille; il est épris d'elle, cela
crève les yeux. Il ne pense même plus à sa fête et
c'est bien la première fois de ma vie que je vois
Tigre négliger un plaisir. Et vous restez là, sans
rien faire.

HORTENSIA

Je le trouve odieux !

LA COMTESSE

Il ne s'agit pas de le trouver odieux sans lever le
petit doigt; il s'agit de vous défendre. Enfin, si
j'étais la maîtresse de Tigre, je ne me laisserais
pas moquer de cette façon. Hortensia, vous me
décevez !

HORTENSIA

Vous savez, comme moi, qu'une scène entre nous
n'arrangera rien.

LA COMTESSE

Vous ne voulez tout de même pas que ce soit
moi qui la lui fasse ? Je ne lui en ai pas fait pour
vous, je n'ai aucune raison de lui en faire une pour
cette fille.

HORTENSIA

Laissons-le faire. Il réussira à monter dans sa chambre ce soir et demain il n'y pensera plus.

LA COMTESSE

Vous êtes aveugle. Tigre n'est plus le même. Quelque chose a été touché en lui, que rien n'avait atteint jusqu'ici. Je le regardais hier, pendant le dîner, il ressemblait à une petite photographie de lui qu'un camarade avait prise pendant la guerre, le matin de l'offensive allemande : ce petit garçon grave et parfaitement heureux à côté de son canon. Je ne pensais pas qu'autre chose que la mort pouvait faire remonter ce visage-là du fond de lui.

HORTENSIA

Vous l'observez mieux que moi, ma chère. J'ai trouvé qu'il avait l'air absent pendant le dîner, voilà tout.

LA COMTESSE

Et vous lui tolérez des absences ? Je n'ai jamais été la maîtresse de Tigre, mais je l'eusse été que, je vous jure bien, je ne l'eusse jamais laissé s'absenter.

HORTENSIA

Vous avez déjà vu Tigre parler dix minutes, sans absences ? Il commence une phrase, sa voix continue exactement pareille; ce qu'il dit est quelquefois très amusant — mais lui n'est plus là. Il n'y a qu'à répondre, il répond à son tour comme un somnambule, un somnambule plein d'à-propos,

et puis tout d'un coup, au moment où on s'y
attend le moins, il revient.

LA COMTESSE

Tigre est un distrait et un instable. Sa mère
était la même, mais elle avait moins d'imagination
que lui, elle, elle sortait vraiment. Quand vous
lui rendiez visite, elle quittait douze fois son salon
en dix minutes, sous des prétextes. Une fois je
l'ai observée par une baie vitrée, elle allait simplement derrière la porte et elle revenait. J'ai toujours toléré ces petites escapades à Tigre. Mais
il y a absence et absence. Qu'il sorte, soit, mais je
demande à savoir avec qui. Je vous dis qu'il l'aime,
Hortensia.

HORTENSIA

Tigre ne peut pas aimer !

LA COMTESSE

Je vous dis qu'il est en train de l'apprendre !
Faites ce que bon vous semble, moi je ne le tolérerai jamais. Enfin, les choses n'allaient plus physi-
quement entre vous ?

HORTENSIA

Vous me gênez, Eliane.

LA COMTESSE

Ma petite Hortensia, ce n'est pas l'heure de faire
les mijaurées, toutes les deux ! Nous avons à nous
défendre. Il était toujours très amoureux ?

HORTENSIA

Tigre est un amant merveilleux.

LA COMTESSE

C'est ce qu'elles m'ont toutes dit. Mais enfin il y a des degrés dans la réussite... Tigre prend feu, en un instant, à la vue d'une taille souple. Le port d'un buste droit sur une taille souple et de vraies hanches dessous, il prétend que c'est le seul secret de la beauté. Je lui ai vu suivre pendant des heures, dans les rues, des gitanes qui sentaient la chèvre et le vieux mégot, des filles qui déambulaient pieds nus dans la crotte ou sur des talons de carnaval. Il prétendait que c'était des princesses, les seules femmes qui sachent marcher. Il s'est fait voler, je ne sais combien de montres, en essayant de lier connaissance et j'ignore par quel miracle il ne s'est pas fait suriner dix fois par leurs souteneurs. Tout cela pour vous dire qu'il a le désir vif. Mais je le connais, il n'est pas homme à vivre de considérations esthétiques. Et il a trop horreur de tout ce qui n'est pas parfaitement réussi pour ne pas exiger que ce jeu-là, aussi, soit bien joué. Mettons cartes sur table, Hortensia. Je dois savoir si je peux compter sur vous. C'était une réussite, entre vous, sur ce plan-là ?

HORTENSIA

Chère Eliane, voulez-vous des détails ?

LA COMTESSE

Merci. Cette activité de Tigre m'intéresse au même titre que sa passion pour le polo. Mais enfin, quand il rentre de Bagatelle, je peux lui demander franchement si son cheval ne l'a pas déçu... Pour l'amour je m'en tenais jusqu'ici aux conjectures. Aujourd'hui j'ai besoin de savoir.

HORTENSIA

Je crois que son cheval ne le déçoit pas.

LA COMTESSE

Bien. C'est important. Il n'a pas encore touché
cette petite. Elle est vierge, cela se sent d'une lieue,
vraisemblablement maladroite et sans dispositions
spéciales. Le trouble du cœur qu'il ressent — cela
ne fait pas de doute — ne risque cependant pas de
s'étayer sur quelque chose de très positif. S'il fait
une incursion dans l'aile gauche vous avez raison,
il se peut qu'il nous en revienne subitement dé-
frisé. Il hait maladivement tout ce qui est raté.

HORTENSIA

Eliane, c'est moi qui vous trouve sommaire à
mon tour. L'amour, même borné à cela, est un jeu
infiniment plus subtil que le polo. Le cœur peut
très bien se mêler au plaisir des épidermes d'une
façon inattendue. Je ne parle que par ouï-dire, mais
j'imagine qu'un sentiment tendre pour un petit
être neuf qui se donne maladroitement peut en-
seigner de nouvelles joies à Tigre — au delà du
désir peut-être — ou subtilement mêlées au désir.

LA COMTESSE

Je n'aime pas qu'une femme puisse comprendre
trop bien ce que son amant peut ressentir avec
une autre. Je vous croyais plus saine, Hortensia.
Sur mon terrain à moi, où je sais que je suis restée
la femme de Tigre, le terrain de l'intelligence et
de notre goût commun de la vie, je sens qu'il
risque de m'échapper. C'est assez. Je vais agir.
Avec ou sans vous.

HORTENSIA

Avec moi, bien sûr ! Pour qui me prenez-vous ?
Vous pensez bien que je n'ai d'autre souci pour
l'instant que de reconquérir Tigre, quitte à le
quitter le lendemain.

LA COMTESSE

Faites les deux ma chère, vous m'obligerez ! Dans
ces intervalles entre deux maîtresses, Tigre est un
mari délicieux. Il éprouve généralement le besoin
de m'emmener en voyage et de me faire une discrète cour — toute platonique, d'ailleurs — mais
je n'ai jamais été une affamée. J'en profiterai pour
quitter Villebosse qui commence à m'ennuyer. Ce
sera divin.

HORTENSIA

Ravie de participer dans la mesure de mes mo-
destes moyens à votre voyage de noces, Eliane !
Irez-vous en Italie ?

LA COMTESSE

C'est bien surfait. Et la première fois, quand je
croyais encore à la lune, c'est là que Tigre m'a
emmenée. Cela me rappellerait des déceptions.
Tigre meurt d'envie d'aller en Chine. Lui qui
bâille partout, il dit que c'est le seul pays pour
lequel il ait un peu de curiosité.

HORTENSIA

La Chine est un pays charmant ! Travaillons
donc à votre voyage en Chine. Comment allons-
nous nous y prendre, Eliane ?

LA COMTESSE

Chère petite Hortensia ! que je vous embrasse
encore !

Elle le fait.

Mais dites-moi, si vous tenez, au fond, si peu
à lui, vous n'allez pas me jouer le bon tour de
le laisser se coiffer de cette petite ? J'ai l'impression
que je me suis un peu découverte en vous parlant.

HORTENSIA, qui l'embrasse aussi.

Chère Eliane ! Je serais, bien sûr, ravie de vous
faire cette méchanceté. — Je ne vous pardonnerai
jamais d'être restée l'amie de Tigre, pendant qu'il
était mon amant. — Mais mon amour-propre est
le plus fort, rassurez-vous. Je ne peux pas permettre qu'il me quitte pour cette petite guenon. Je
veux le quitter moi-même. Je vous réserve — pour
une autre occasion.

LA COMTESSE, qui l'embrasse encore.

Comme elle est gentille et qu'elle sent bon !
C'est toujours « Plaisir d'une Nuit » ? Autrefois je
trouvais que cela sentait le loukoum. Je m'y fais.
C'est dommage, quand je m'y serai tout à fait
faite, Tigre ne l'empestera plus. Venez dans ma
chambre ma chère. J'ai une idée toute simple
que je vais vous dire. Cette petite bécasse doit
être bourrée de complexes et de dignité blessée.
Je dis qu'on m'a volé un bijou, j'exige qu'on
fouille les chambres de tout le personnel — la
sienne comprise. Après on retrouve le bijou n'importe où, dans le gravier d'une allée ou dans le
coussin d'un fauteuil, c'est un détail. Mais cela

peut suffire à la faire fuir. C'est fou, ma chère, ce que les pauvres peuvent être susceptibles !...

> Elles sortent. Par une autre porte entrent le comte et Héro.

HÉRO

Répétons-nous ou ne répétons-nous pas, comme dit Villebosse ? Je peux tenir dans mon gilet la durée de trois actes, pas davantage. Heureusement que les pièces classiques sont courtes. Tu nous aurais fait donner un drame de Victor Hugo, j'explosais avant la fin, répandant mon foie comme des fleurs empoisonnées sur les convives. Quelle belle sortie pour un ivrogne !

LE COMTE, s'assoit.

Héro, cela ne m'amuse plus !

HÉRO

Tu n'aimes plus Marivaux ? Bon. Tu ne vas tout de même pas nous faire changer de pièce ? Moi, j'étais ravi de mon rôle. Un seigneur. Que jouez-vous, cher Héro ? Un seigneur. C'est discret et mystérieux et il n'y avait pas trop de lignes à retenir.

LE COMTE

Cela ne m'amuse plus de m'amuser.

HÉRO

Tu y as mis le temps.

> Il se sert et présente un verre à Tigre.

Bois donc. Il y a vingt ans que j'ai compris.

LE COMTE

Cela ne m'amuserait pas d'être ivre.

HÉRO

Crois-tu qu'on s'enivre pour s'amuser ? Etre ivrogne ce n'est pas une sinécure... Si tu savais l'attention et la persévérance qu'il faut ! Toujours à remplir des verres et à les vider. On vous prend pour un riche oisif, en fait c'est un travail de plongeur. J'ai une idée, travaille.

LE COMTE

C'est une mauvaise habitude qu'il faut avoir prise très jeune. Je crois d'ailleurs que cela ne m'amusait pas.

HÉRO

Fais comme moi, fais l'amour. Change de femmes. Ce n'est pas que cela soit drôle, mais cela entretient l'espoir.

LE COMTE

Je l'ai fait. Moins que toi, mais je l'ai fait. Je vais te dire, tout bien pesé, je crois que ce n'est pas une activité pour un homme.

HÉRO

Tu deviens triste. Quel âge as-tu ?

LE COMTE

Un an de plus que toi. Tu le sais depuis la sixième où je suis entré avec un an de retard. C'est à une scarlatine que nous devons notre amitié.

HÉRO

Tu n'as tout de même pas le désir inavoué de te consacrer à quelque chose d'utile ?

LE COMTE

Certes non. Je sais ce que cela veut dire aussi.

HÉRO

Ni celui de te mettre à gagner de l'argent ? Avec la fortune d'Eliane, ce serait d'ailleurs immoral et de mauvais goût.

LE COMTE

Je hais l'argent.

HÉRO

Pas de grands mots. Méprise-le, c'est suffisant. Il ne te reste plus qu'une issue, deviens neurasthénique. C'est un état. Tout ce que tu diras paraîtra profond. Et surtout, tes journées te suffiront à peine pour te soigner. Les médecins ont remis au goût du jour des méthodes vieilles comme le monde. Autrefois les confessionnaux étaient inconfortables, ils te feront parler de toi tous les jours, pendant une heure, étendu sur un divan. C'est toujours passionnant de parler de soi, c'est un sujet sur lequel on est inépuisable. Cela te coûtera une fortune, et, au bout d'un an, tu apprendras que tu avais plaisir à téter ta nourrice et que tout vient, sans doute, de là... Il faudra que tu te résignes à être guéri et à trouver autre chose. Mais cela te fera toujours un an de passé.

LE COMTE

Imagine, Héro, qu'un jour tout se mette en

place autour de toi. Que tout devienne simple et
paisible; mais, en même temps, inaccessible.

HÉRO

J'imagine mal. Attends que je transpose... L'alcool m'est soudain recommandé par les médecins
comme un élixir de longue vie, mais tous les bars
que je connais sont fermés.

LE COMTE

C'est cela. Non. Il y a un bar d'ouvert, un seul.
Un pauvre petit café de province où tu n'aurais
jamais eu l'idée d'entrer.

HÉRO

Il n'y a pas de cafés où je n'ai jamais eu l'idée
d'entrer.

LE COMTE

Tu entres tout de même, par accident ou par
surprise, et le seuil passé, tu découvres que vivre
c'était au fond beaucoup plus simple, beaucoup
plus grave — et bien meilleur que tu ne le pensais.

HÉRO

Ces comparaisons prises dans la limonade sont
obscures et d'un goût douteux. Et puis j'ai peur
que cela me donne soif. Trêve de paraboles. Tu es
amoureux ?

LE COMTE

Oui.

HÉRO

Bon. Ce n'est pas grave. Tu me l'as déjà dit dix fois.

LE COMTE

C'est vrai. Alors, je ne suis pas amoureux.

HÉRO

Tu aimes ? Tu me l'as déjà dit au moins trois fois, dont deux avec des larmes.

LE COMTE

Alors c'est que cette fois je n'aime pas. Parce que cela ne ressemble à rien de ce que j'ai connu.

HÉRO, se lève, le regarde en se servant et dit soudain, d'un autre ton.

Tu me dégoûtes.

LE COMTE

Pourquoi ?

HÉRO, doucement.

Je n'aime pas que tu aies ce visage-là.

LE COMTE

Je suis laid ?

HÉRO

Non. Tu es beau. Tu es redevenu beau. Pas comme elles aiment toutes, comme je sais seul que tu as été. Tu as le visage que tu avais à Sainte-Barbe, avant le jour que nous avons sauté le mur à quinze ans pour aller dans une maison de femmes, tous les deux. Tu as le visage que tu

avais quand nous revenions du football, l'hiver,
tout rouges, crottés, suants et heureux et que nous
nous moquions des filles ensemble. Le visage de
cette nuit dans le dortoir où nous avons juré de
nous aimer toujours et où nous nous sommes
taillardé le bras pour échanger notre sang, avec
un petit couteau rouillé.

Il dit sourdement.

Ne me joue pas ce tour-là, Tigre, je ne te le par-
donnerais pas.

LE COMTE

Nous avons mis une heure à nous entailler. Ce
que nous pouvions être froussards tous les deux
malgré notre noble exaltation ! Mais nous l'avons
fait tout de même... Tu te rappelles la formule ?

HÉRO, brutalement.

Non !

LE COMTE

Je peux te la redire, je l'ai retrouvée par hasard,
hier soir.

HÉRO

Non ! Je ne veux plus le savoir. Ne me fais pas
cela, Tigre. Tu vois, ma main tremble, je suis une
loque, dans un an, dans deux au plus tard on
me poussera dans une petite voiture ou je serai
mort. Je ne supporterai pas que tu le redeviennes
toi, maintenant. Ce serait trop facile.

LE COMTE

Que je redevienne qui ?

HÉRO, brutalement.

Tu m'as compris !

> Il serrait son verre dans sa main, le verre se
> casse. Ils regardent le verre tous les deux
> dans la main de Héro qui dit doucement.

Excuse-moi, mon vieux. J'aime casser.

LE COMTE

Tu es fou. Tu saignes. Prends mon mouchoir.
Tu as le vin lugubre, aujourd'hui.

HÉRO, se bandant la main.

Le vin est toujours lugubre, apprends-le.

> Il lui tend un morceau de verre.

Coupe-toi aussi et jurons.

LE COMTE

Quoi ?

HÉRO

Que nous sommes contents de nous tous les
deux et que nous continuerons ensemble à nous
amuser courageusement, jusqu'au bout... Si Hortensia ne te plaît plus, prends-en une autre. Si tu
manques d'argent, je t'en donnerai. Si tu veux
oublier je t'apprendrai à boire. Mais amuse-toi
comme moi je t'en supplie. Et ne prends plus
ce visage-là.

LE COMTE

C'est le mien maintenant. Qu'y puis-je ?

HÉRO

Il faut choisir, Tigre. Et nous avons choisi. C'est trop tard.

Il a été se resservir, il ajoute d'un autre ton.

D'abord, cela me ferait de la peine mon vieux, de te voir ridicule... Et beaucoup plus de peine encore de te voir heureux de cette façon-là...

LE COMTE, après un silence.

Tu ne m'as pas pardonné Evangéline, n'est-ce pas ?

HÉRO

Non.

LE COMTE

Ce n'était pas un mariage pour toi. Tu avais dix-neuf ans. Tu allais t'enterrer, tu...

Il s'arrête.

Je te demande pardon. Aujourd'hui, pour la première fois, je pense que j'ai peut-être eu tort de t'empêcher d'épouser cette jeune fille.

HÉRO

Ce qui est fait est fait. Et tu n'as pas eu tort. Nous nous sommes beaucoup amusés depuis, tous les deux. Pas de remords ! Entre mes six enfants, ma femme et mes chiens de chasse, dans un petit château de province, j'aurais vraisemblablement fait la même fin, en moins brillant, voilà tout. On est ivrogne de père en fils chez nous, comme d'autres sont tapissiers. Mais, un conseil en vaut un autre, laisse ce qu'ils appellent l'amour, ce n'est pas pour nous.

LE COMTE

Si tu m'aimes, tu devrais me souhaiter d'être heureux.

HÉRO

Plus maintenant. Pas comme cela. D'ailleurs il ne faut pas nous faire d'illusions ni l'un ni l'autre, il y a vingt ans que nous ne nous aimons plus, depuis nos premiers pantalons longs. Cela n'empêche pas d'être bons amis.

Il le sert.

Trinquons, Tigre. Et amuse-toi comme tu voudras, tu es libre après tout. Mais pas de confidences... D'ailleurs, pas trop d'espoir, non plus. La vie se charge de mettre les choses en ordre et de les y laisser. Elle a beaucoup d'ordre, la vie.

LE COMTE

Nous verrons.

HÉRO

Nous verrons. On voit toujours. C'est cela qui est merveilleux dans la condition humaine. On crie « Eurêka » cinq minutes avant de mourir et le rideau tombe sur ce mot réconfortant.

La comtesse est entrée avec Hortensia.

Bonjour, Eliane !

LA COMTESSE

Bonjour, Héro. Tigre, je suis très ennuyée. Il faut que je vous parle. Mon émeraude a disparu.

LE COMTE

Demandez à votre femme de chambre de la chercher, ma chère. Pas à moi, j'ai horreur de cela. On se pique les doigts dans les coussins d'une bergère, on se remplit les ongles de poussière et on retrouve une vieille lettre dont la lecture est toujours désagréable — quand ce n'est pas une facture.

LA COMTESSE

On cherche depuis ce matin. Je l'avais hier. Ici même. Je l'avais laissée dans le vestibule où nous posons tous nos costumes, car je trouvais que le vert n'allait pas avec ma robe. Je suis très ennuyée. Je crains l'indélicatesse de quelqu'un.

LE COMTE

Pas de roman. Faites chercher encore dans le vestiaire.

LA COMTESSE

Bien entendu. Mais si je ne la retrouve pas je devrai avertir l'assurance. Ils enverront quelqu'un enquêter ici. Cela sera odieux.

LE COMTE

Après le Bal, ma chère, après le Bal ! Vous n'allez pas me forcer à costumer vos argousins en Louis XV, dans l'espoir qu'ils passeront inaperçus. Après le Bal je vous dis.

LA COMTESSE

Je regrette, Tigre, mais l'assurance doit être prévenue dans le délai d'un jour. Je vais chercher encore. Vous venez m'aider, Héro ?

HÉRO

Ravi de me rendre utile, enfin ! Voilà trente-
sept ans que j'attends une occasion.

LE COMTE, lui crie comme elle sort avec Héro.

Mais pas de roman, je vous en supplie !

A Hortensia.

Ma chère, on empoisonne sa vie à avoir peur
des voleurs et des naufrages et, questionnez les
gens autour de vous, en fait, on n'est jamais volé,
et le bateau ne coule jamais. N'avez-vous pas
remarqué cette curieuse chose, la vie, la vraie vie,
avec meurtres, passions farouches, catastrophes ou
héritages fabuleux, se passe presque exclusivement
dans les journaux. C'est tout juste si, au moment
des guerres, on vous demande de participer personnellement au texte des communiqués. Et encore, cela impressionne parce que cela fait beaucoup de bruit; mais, tout compte fait, je suis sûr
que c'est la maladie qui tue le moins de monde.

HORTENSIA

C'est bien ennuyeux l'histoire de cette bague.

LE COMTE

C'est bien ennuyeux, mais Eliane a assez de bijoux pour en perdre un de temps à autre. Après
tout, il serait immoral que ce soit toujours les
mêmes femmes qui les portent.

HORTENSIA

Je suis sûre qu'Eliane prend l'aventure moins
gaiement. C'était une pierre admirable. Elle a

l'intention de faire fouiller les chambres de tout
le personnel.

LE COMTE

Il y a vingt ans que tous ces gens sont au service de la famille. Avouez qu'ils auraient mis du
temps à se décider. Sa femme de chambre est plus
jeune, c'est vrai, mais c'est sa filleule ; elle est
née dans la cuisine, comme les petits chats. Et c'est
une fille qui passe son temps à la messe. A moins
que ce ne soit pour acheter des cierges, je ne vois
pas en quoi ce bijou aurait pu l'intéresser.

HORTENSIA

Enfin, Eliane est décidée à faire fouiller partout.
Cela me paraît d'ailleurs une précaution élémen-
taire. En somme qui y a-t-il ici, en dehors des domestiques... Villebosse, Héro, M. Damiens, moi...

LE COMTE, la coupe.

Ma chère, j'ai horreur des romans policiers. Je
trouve que c'est le genre le plus niais du monde.
Se torturer à embrouiller artificiellement une histoire pour se donner la fausse élégance de la dé-
nouer en trois pages à la fin, c'est une activité de
plaisantin. Quand il m'arrive d'en ouvrir un, un
soir de découragement, dans mon lit, je m'endors
toujours avant la découverte du coupable. Et je
n'ai jamais eu la curiosité de rouvrir le livre le lendemain. Il y a comme cela une quantité de crimes
ténébreux dont je ne saurai jamais les auteurs.
Et je m'en porte fort bien. Dans la vie non plus il
ne faut pas trop chercher les coupables. C'est le
jeu le plus vain du monde. Tout le monde est
coupable ou personne ne l'est.

HORTENSIA

Votre goût du paradoxe risque de vous mener loin, Tigre. Je ne pense pas qu'Eliane l'ait aussi développé que vous. Ou je la connais mal, ou elle fera fouiller toutes les chambres de l'aile gauche comme elle l'a dit.

LE COMTE, un peu sec.

Si Eliane fait fouiller l'aile gauche, j'exige qu'on fouille aussi l'aile droite. Je perds ma montre, ma chère, et je la cache chez vous !

> Il la regarde, dur.

Vous avez trouvé cette petite fable ensemble ? Mes compliments !

HORTENSIA, soudain transparente.

Quelle fable, Tigre ?

LE COMTE, lui prend les coudes et lui dit en face.

Ma petite Hortensia, je vous ai aimée. Le mot est bien grand, mais il y a si peu de mots qu'il faut bien mettre plusieurs sentiments sous la même étiquette. Mes mains, en tout cas, vous ont aimée. A chacune de nos rencontres, j'ai eu une sorte de joie, très pure — oui, c'est drôle, très pure — et très proche du bonheur à vous toucher.

HORTENSIA

Merci, Tigre.

LE COMTE

Ne me remerciez pas. Vous n'y êtes pour rien. Je vais vous faire un compliment, Hortensia, le premier et le dernier sans doute — vous êtes très belle. Je ne parle pas de votre visage; il est charmant, mais je ne crois guère aux visages. Et puis, avec cette façon universelle de se farder, toutes les femmes qui ne sont pas trop laides se ressemblent, en fin de compte. Mais votre corps est très beau. Noble et beau comme celui d'une bête. Et la beauté, la vraie, c'est quelque chose de très grave. Si Dieu existe ce doit être un peu lui.

HORTENSIA

Mon Dieu !

LE COMTE

Oui, un drôle de mot dans ma bouche. J'ai conscience d'être cocasse, croyez-le bien, en le disant. Mais le souvenir du jour où je vous ai tenue pour la première fois dans mes bras est aussi clair, aussi éblouissant en moi qu'un souvenir de petit garçon : mon premier palais avec mon père en Italie. La même blessure et le même bonheur... Eliane est une femme de tête, mais je tiens l'intelligence pour peu, c'est l'arme des pauvres. Laissez l'intelligence mener son vilain petit jeu toute seule, se débattre comme une marchande. Vous, tenezvous. Soyez digne de la beauté. C'est une grande dame.

HORTENSIA

Ce doit être un jeu nouveau, Tigre, mais vous ne m'aviez pas habituée à tant de gravité dans nos propos. Vous me faites peur.

LE COMTE, la lâche et allume un cigare.

Moi aussi, un peu. Vous croyez que cela m'amuse

de naviguer à ces profondeurs ? Je ne suis pas
entraîné, je m'attends à manquer d'air d'un moment à l'autre.

HORTENSIA

Tigre, cette fille est à peine jolie. Elle est fine
et souple, mais elle ne sait même pas se tenir. Elle
vous fera honte, dans sa petite robe d'institutrice,
la première fois que vous entrerez avec elle quelque
part, et si vous essayez de la déguiser, elle vous fera
bien plus honte encore : je vous connais.

LE COMTE

Je suis assez bête pour avoir honte, c'est vrai.
Mais cela n'a aucune importance.

HORTENSIA

Vous êtes d'une autre race, Tigre. La tête, le
cœur font mille bêtises, les mains se trompent ra-
rement. Je suis sûre que vous me désirez encore.

LE COMTE, la regarde souriant et dit doucement.

Bien sûr, je suis capable de tout. Seulement je
l'aime, voilà...

HORTENSIA

Enfin c'est ridicule, Tigre ! Elle est le contraire
de ce que vous pouvez aimer !

LE COMTE

Le contraire. Exactement. Et je l'aime. Croyez-
vous que c'est comique ?

HORTENSIA, s'éloigne, éclatant de rire.

Ah ! c'est trop bête ! C'est vraiment trop bête !

Pardonnez-moi, mais je vous assure que c'est trop bête !

LE COMTE

Oui, c'est bête. Cette aventure me rend effectivement bête. Mais c'est délicieux. Je n'en pouvais plus de ne l'avoir jamais été.

MONSIEUR DAMIENS, entre.

Monsieur le comte, Mme la comtesse, qui vient de découvrir qu'il lui manque un bijou, fait faire par son intendant et son maître d'hôtel, une fouille dans les chambres de l'aile gauche. Vous m'avez donné des assurances, tout à l'heure, sur le respect dont vous entendiez faire entourer ma filleule dans cette maison. Accepterez-vous que l'on fouille sa chambre ?

LE COMTE

Certainement pas, monsieur. Suivez-moi. Nous allons mettre fin à cette mascarade.

Ils sortent. Entre Villebosse.

VILLEBOSSE

Enfin, répétons-nous ou ne répétons-nous pas ? Voilà deux heures que nous sommes habillés !

HORTENSIA

Nous jouons, Villebosse. Nous sommes en plein jeu. Vous ne vous en étiez pas encore aperçu ?

Elle sort.

VILLEBOSSE

Ma parole, on se moque de moi ici !

A Héro qui entre.

Monsieur !

HÉRO
Monsieur ?

VILLEBOSSE
On se moque de moi dans cette maison !

HÉRO
C'est bien possible.

VILLEBOSSE
Monsieur, j'ai l'impression que vous êtes à l'origine de toutes ces manœuvres déplaisantes.

HÉRO
C'est également possible, monsieur.

VILLEBOSSE
Que diriez-vous, monsieur, si j'exigeais de vous une réparation ?

HÉRO
Monsieur, j'aime casser, mais je ne répare jamais.

Il sort.

VILLEBOSSE, le poursuivant.
Monsieur, c'est un refus ! Je vous ferai carencer, monsieur. Je vous couvrirai de honte !

LA COMTESSE, entre, hors d'elle.
Villebosse !

VILLEBOSSE

Eliane, mon amour, vous semblez hors de vous.

LA COMTESSE

Je suis hors de moi ! Tigre vient de me faire un affront insupportable. On m'a volé un bijou et comme j'avais chargé Foucault et Jasmin de fouiller les chambres de l'aile gauche, il leur a interdit l'accès de la chambre de cette fille qu'il nous impose à tous ici, depuis huit jours. Il a exigé, si l'on entrait chez elle, que l'on fouille ma chambre d'abord. Il prétend que je n'ai pas perdu ce bijou, qu'il est caché. C'est insultant ! Il a été de la dernière goujaterie avec moi.

VILLEBOSSE

Je ne le tolérerai pas, Eliane ! Permettez-moi d'aller le provoquer.

LA COMTESSE

Mais vous ne comprendrez donc jamais rien à rien, Villebosse ? Avez-vous le dessein de m'exaspérer davantage ? Il ne s'agit pas d'aller provoquer Tigre parce qu'il m'a manqué de respect. C'est son droit après tout, je suis sa femme ! Il s'agit de lui faire comprendre qu'il me ridiculise à s'afficher avec cette petite institutrice de rien du tout. Enfin, Villebosse, qu'il ait des maîtresses ! Hortensia est mon amie et c'est une fille comme il faut. Mais qu'ira-t-on dire si mon mari se toque d'un pou ! S'il la ramène à Paris, Villebosse, je ne sortirai pas de cet hiver. Positivement, je n'oserai plus me montrer.

VILLEBOSSE

C'est inadmissible ! Je vais y mettre ordre. Comptez sur moi, Eliane !

Il sort, entre Lucile.

LUCILE

Je viens vous apporter la clef de ma chambre, madame. Je veux qu'on la fouille comme les autres. Il se peut d'ailleurs qu'on y trouve ce bijou et ainsi tout le monde serait rassuré.

LA COMTESSE

Je ne sais pas ce que vous voulez dire, ma petite fille. Ma femme de chambre cherche encore chez moi, avec mon mari. Il est possible, en effet, que j'aie rangé ce bijou autre part et que je l'aie oublié.

LUCILE

Ce serait une bonne nouvelle.

LA COMTESSE

Oui. C'est toujours désagréable, pour tout le monde, les soupçons. Je vous demande bien pardon si vous avez été blessée. C'était d'ailleurs une mesure générale qui concernait tout le personnel. Vous venez sans doute me dire que vous renoncez à jouer dans la pièce et peut-être même que vous n'allez plus pouvoir vous occuper de ces enfants ? Les pauvres petits, ils s'étaient déjà attachés à vous, me dit-on. Réfléchissez encore. Je suis sûre que cela va leur fendre le cœur. En tout cas, si votre décision était inébranlable, je pense que le mieux serait de faire aussi vite, aussi brutalement que possible. Avec les enfants, je ne vous l'apprends pas, il faut toujours adopter des solutions très nettes. Ils pleureront toute une nuit et puis le lendemain ils n'y penseront plus et ils se mettront à en aimer une autre. Il y a, je crois, un train dans une heure. La voiture pourrait vous mener à la gare dès que votre valise sera faite. Bien entendu, quoique la décision vienne de vous, — je sais dans quel embarras vous êtes — je vous ferai régler six mois.

> Le comte est entré, la comtesse se tourne vers lui très à l'aise.

Mademoiselle nous dit qu'elle nous quitte. Je suis désolée, Tigre, pour votre représentation, mais en trois jours nous trouverons quelqu'un. Je lui disais que pour les enfants, si sa décision était prise, il valait mieux partir très vite, sans les revoir. Ils s'étaient beaucoup attachés à elle déjà, comme nous tous, mais ils risquent de manifester davantage leur chagrin.

LE COMTE

Voici votre émeraude, Eliane.

LA COMTESSE, la passe à son doigt.

Ah ! quel bonheur ! Où était-elle ?

LE COMTE

Dans votre chambre. Sous l'un des chandeliers.

LA COMTESSE

Vraiment ? Quelle idée ai-je donc eue d'aller la cacher là ?

LE COMTE

Je vais vous demander maintenant de faire des
excuses à mademoiselle.

LA COMTESSE

Des excuses, mon Dieu ? Pourquoi ? Mais très
volontiers... je suis navrée de mon étourderie, mademoiselle. J'espère que vous me la pardonnerez
et que vous n'emporterez pas un trop mauvais souvenir de cette maison. Je pense que vous êtes d'ac-
cord, Tigre, pour que Foucault règle six mois à
cette petite. Je sais bien que c'est un coup de tête
d'elle, mais enfin, si je n'avais pas égaré ce bijou,
elle n'aurait pas songé à nous quitter.

LE COMTE

Ma chère Eliane, vous savez que je n'ai pas pour
habitude de laisser compromettre par des contre-
temps, quels qu'ils soient, une fête que j'ai décidé
de donner. Nous ne pouvons ni décommander ni
faire reprendre le rôle en trois jours. Je vous
prie de bien vouloir faire en sorte que mademoiselle revienne sur sa décision.

LA COMTESSE

Vraiment, je lui ai tout dit, Tigre. Elle est blessée. Elle s'obstine. Et je dois avouer que je la
comprends.

LE COMTE

Je suis sûr que vous ne lui avez pas tout dit.
J'exige cette petite réussite diplomatique de vous,
Eliane, ou vous me décevrez beaucoup. Je vous

laisse ensemble. Nous répéterons dans une demi-
heure.

Il est sorti. Lucile ne dit toujours rien. La
comtesse s'assoit très à l'aise.

LA COMTESSE

Allons bon ! Voilà qu'il faut que je vous con-
vainque de rester maintenant, sous peine de me
brouiller à mort avec Tigre. Avouez que cela est
comique !... Mais je suis une faible, au fond, et les
caprices de Tigre sont ma loi. Vous êtes bien jeune
encore... Quand le moment sera venu de choisir, ne
tombez surtout pas amoureuse d'un homme léger,
mademoiselle.

LUCILE, demande doucement.

Vous l'aimez ?

LA COMTESSE

Quelle question, mademoiselle ! C'est mon mari.

LUCILE

Pensez-vous qu'il soit tellement heureux à s'amuser toujours ?

LA COMTESSE

Ma petite fille, ne comptez pas sur moi pour
laisser notre entretien — puisqu'on exige que nous
en ayons un — prendre ce ton-là. J'ai horreur de
la familiarité et des questions personnelles. J'ai eu
toute petite, une gouvernante anglaise qui m'a
appris à ne jamais en poser. Puisque c'est votre
métier d'éduquer les enfants, tâchez donc de leur

inculquer très vite, que rien n'est plus mal élevé.
Tigre m'a priée de vous demander de rester. Je
vous le demande. Il ferait une maladie s'il devait
renoncer à cette représentation. D'ailleurs, pourquoi partir ? Nous apprécions beaucoup vos ser-
vices auprès de ces petits malheureux et nous ne
prolongerons guère, d'autre part, notre séjour à
Ferbroques. Tigre meurt d'ennui à la campagne.
La fête donnée, nous retournerons tout de suite à
Paris, pour la saison. Ainsi tout rentrera dans
l'ordre, n'est-ce pas ? Quittons-nous donc bonnes
amies et, encore une fois, pardonnez-moi ce petit
incident. Tigre serait capable de me bouder une
semaine entière s'il sentait que vous m'en tenez
rigueur. Nous nous connaissons peu, au fond. Mais
vous savez en quelle estime je tiens M. Damiens,
votre parrain. J'ai parlé de vous, avec lui, ce matin. C'est un homme qui a une très grande affection
pour vous.

LUCILE

Oui. Il me le dit.

LA COMTESSE

Quelqu'un qui a beaucoup souffert aussi, je
crois. Il est depuis des années séparé de sa femme,
n'est-ce pas ? et elle ne semble pas lui avoir ap-
porté, au cours de leur vie commune, tout le ré-
confort qu'il pouvait en attendre. C'est un homme
qui surprend par la sensibilité qu'il cache sous
une apparence un peu austère. Il m'a très longue-
ment parlé de vous.

LUCILE

Vraiment ?

LA COMTESSE

Oui. Ma petite fille, je me suis agacée un peu
vite — c'est vrai ; Tigre me le répète chaque
jour, les femmes sont des folles — pour un peu
de sotte jalousie, elles compromettent, en une minute, tout ce que leurs vertus ont pu leur gagner
d'estime en dix ans. Au fond, j'ai beaucoup de
sympathie pour vous... Vous êtes si jeune après
tout, si désarmée avec votre air de tout savoir.
Je suis sûre que sous votre gravité de jeune qua-
keresse, vous êtes toute prête à vous brûler les
ailes comme un petit insecte éphémère, à la première bougie venue... On se dit : comme cela sera
beau ! Cela ressemblera, enfin, à la vie comme je
l'ai rêvée... On vit le rêve une semaine et, après,
il ne vous reste plus que les yeux pour pleurer.
Damiens m'a dit que vous étiez fière et pauvre.
C'est une grande qualité, avec un bien grand
défaut. Vous pouvez rencontrer, bien sûr, un bon
garçon dans votre milieu. Mais cela ne dure pas
longtemps non plus, croyez-le. Le cavalier charmant des bals champêtres, le jeune homme rougis-
sant qui vous cueillait des fleurs à Meudon, je ne
vous donne pas deux ans pour qu'il se transforme
en un petit tyran maussade et pointilleux, qui ne
vous comblera plus que de chaussettes à repriser et
se perdra dans son journal, en manches de chemise,
tous les soirs... Vous valez mieux que les travaux
forcés du ménage avec un vilain moutard, qui ressemblera à son père, pendu à votre jupon. C'est
une grande tentation d'être folle ; d'être sage c'en

est une, aussi — quelquefois aussi dangereuse que
l'autre. Quand on est fine, jolie, intelligente et
sans le sou, on est toujours un peu une déclassée.
Il faut en prendre son parti. Damiens — qui est
mon ami — et moi, nous nous faisions beaucoup
de souci, pour vous, ce matin.

> Un temps. Elle se lève. Elle a un geste négligent vers
> une petite table à ouvrage.

En somme, sa femme est aux mille diables, en
province, elle est malade, plus âgée que lui, elle
ne vivra pas toujours. Damiens a de l'honneur
et il est encore fort bel homme. Je me le rappelle,
il y a quinze ou vingt ans quand il venait chez ma
mère, vous le dirais-je, ma chère ? — bien sûr,
j'étais une gamine — mais j'ai été amoureuse de
lui tout un hiver... Enfin, pensez-y. Je vous parle
comme une femme qui a vécu, qui est de beaucoup
votre aînée et qui serait désolée — désolée vraiment — de vous voir gâcher votre belle jeunesse
pour une folie sans lendemain. Quand on n'a pas
d'état, comme vous, et qu'on est seule au monde,
il faut penser d'abord à son avenir. Mon Dieu, je
sais que ce n'est pas drôle ! — on a envie d'autre
chose à vingt ans — mais le monde est ainsi fait,
ma chère, et nous n'y pouvons rien.

> Un temps. Elle la regarde et soudain.

Tenez, Damiens nous a si longtemps et si fidèle-
ment servis — et, pour moi, cela serait bien entendu, comme si vous deveniez sa femme — cette
émeraude précisément ce sera mon cadeau de mariage.

> Elle la lui tend.

LUCILE, la regarde un instant et
lui rend la bague.

C'est un trop beau cadeau pour la cérémonie
que ce serait. Merci, madame.

LA COMTESSE, reprend sa bague.

Vous avez tort. C'était de bon cœur.

LUCILE

D'ailleurs, de cette façon ou d'une autre, je sais
que je ne me marierai jamais. je l'ai juré.

LA COMTESSE

Comment peut-on savoir cela, à votre âge ? Il y
a longtemps que vous avez fait ce serment témé-
raire ?

LUCILE, doucement.

Hier soir.

LA COMTESSE, se lève soudain.

Hé bien ! dites à Tigre, du moins, quand vous
le reverrez — que j'ai fait tout mon possible.

LUCILE

Je le lui dirai. Merci, madame.

Elle sort.

La comtesse fait quelques pas nerveux, jouant
de l'éventail, comme si elle interprétait
vraiment une pièce de Marivaux, puis elle
ouvre la fenêtre et appelle :

LA COMTESSE

Héro ! Non, pas vous, Villebosse ! Héro. Mon-
tez tout de suite, je voudrais vous parler.

> Un instant de silence, quelques pas nerveux
> encore, quelques coups d'éventail et Héro
> paraît.

Héro. Il faut empêcher Tigre de faire une bêtise. Il aime cette petite. Elle est sa maîtresse depuis hier, elle lui a dit qu'elle l'aimait. C'est ridicule et c'est fou. Je ne sais pas si vous l'observez
depuis huit jours ?...

HÉRO, impénétrable, son verre à la main.

Je l'observe.

LA COMTESSE

C'est répugnant.

HÉRO

Répugnant. Je le lui ai dit.

LA COMTESSE

Vous êtes avec moi, Héro ? Faites quelque chose.
Vous seul pouvez faire quelque chose, j'en suis
sûre.

HÉRO

Sur lui ? Tigre est d'une gentillesse inaccessible...

LA COMTESSE

Sur elle, peut-être.

HÉRO, déclame.

« Et que m'ordonnez-vous seigneur, présente-
                                                    ment ?
De plaire à cette femme et d'être son amant ! »

LA COMTESSE

Vous le pouvez, Héro, si vous le voulez. Cette petite est une folle, une romanesque, une midinette, si ce n'est pis. Tout Paris sait que vous êtes irrésistible. Séduisez-la. Tant pis si nous jouons *Ruy Blas* ! Après tout, à quinze ans, nous aimions cela.

HÉRO

Il n'y a qu'un obstacle. Cette jeune fille ne fait pas partie du Tout-Paris. Elle ne sait pas que je suis irrésistible. Cela m'enlève la moitié de mes chances.

LA COMTESSE

Sornettes ! Dans deux jours, Tigre ou vous, tout s'embrouillera dans sa tête. Elle crèvera de vanité, tout comme une autre, que les deux hommes les plus brillants de ce château ne s'occupent que d'elle. Je les connais ces sainte-Nitouche ! J'étais comme cela avant que Tigre m'épouse. Les femmes sont des femmes, mon cher, toujours, même quand elles se donnent les gants d'être des anges. Je n'ai pas à vous dire comment vous y prendre mon petit Héro. Faites-la boire un soir, jurez-lui que vous l'aimez. Avec un peu de lune et de musique, cette bécasse le croira. Assez du moins pour vous céder ce soir-là. Après, Tigre s'en détachera ou s'il accepte le partage, il n'y aura plus vraiment aucun danger.

HÉRO

Vous me faites beaucoup d'honneur, Eliane, d'être aussi sûre qu'on ne me résiste pas. Je vous

dirais oui, pour n'importe quelle femme, même ne
faisant pas partie du Tout-Paris, (après tout je
suis un professionnel !) pour une jeune fille, non.
Ce sont des animaux bien étranges et j'en ai fort
peu approché.

LA COMTESSE

Mais je vous dis que ce n'est plus une jeune
fille ! Elle est sa maîtresse.

HÉRO

Depuis hier. Elle gardera cet état de grâce encore quelque temps.

LA COMTESSE

Alors vous allez laisser Tigre s'en toquer tout
à fait ? S'abîmer dans le ridicule ? Il l'aime, Héro,
il l'aime, j'en suis sûre. Cela vous est égal à vous
qu'il l'aime comme un petit garçon ?

HÉRO, dur soudain.

Vous vous trompez. Cela ne m'est pas égal.

LA COMTESSE

Vous avez peur de lui faire de la peine ? De
briser leur cœur peut-être à tous les deux ?

HÉRO

Non plus. Je vous l'ai dit : j'aime casser.

Un silence.

LA COMTESSE, se rapproche.

Héro, elle couche seule, au bout de l'aile gauche.
C'est peut-être incertain de la séduire, admettons
qu'elle l'aime vraiment. Et Tigre peut intervenir

et l'emmener, s'il l'aime aussi. Mais nous savons
tous que vous êtes une brute. Vous la désirez
comme un fou, cette fille... Vous avez bu, comme
tous les soirs. Vous forcez sa porte. Sa serrure
— j'ai un ouvrier de confiance — ne fonctionnera
pas ce soir-là. Elle criera bien sûr, mais elle est
au bout du monde là-bas — et puis, que peut
une petite fille avec ses griffes, ses coups de poing
maladroits et ses larmes, contre le désir d'un
homme ? Si elle l'aime, elle fuira de honte, le lendemain.

HÉRO, dit doucement.

Evangéline.

LA COMTESSE

Qu'est-ce que vous dites ?

HÉRO

Le nom d'une jeune fille. Mme Blumenstein.
Vous avez dû la rencontrer. Elle a épousé un banquier juif. Elle était très belle. Elle n'a pas été
très heureuse en ménage et elle est morte, il y a
quelques années.

LA COMTESSE

Une mince jeune femme blonde avec deux
grands yeux ravissants ? L'air d'une biche sacrifiée ?
Je me la rappelle très bien. On me l'a présentée
chez les Rothschild. Mais quel rapport ?

HÉRO

Un très vague et très lointain rapport. Je suis
heureux que vous vous souveniez d'elle... Allons
répéter maintenant, Eliane, on nous attend, et il

faut tout de même que cette pièce soit bien jouée, quoi qu'il arrive. Comme toutes les choses qui n'ont aucune importance, cela en a beaucoup. Son mari était un mufle. On a même dit qu'il la battait...

LA COMTESSE, *sortant.*

J'ai une idée, je vais faire envoyer un télégramme à Tigre, l'appeler au-dehors ce soir... Gontaut-Biron me rendra ce service...

Ils sont sortis, le rideau tombe.

QUATRIÈME ACTE

Une petite chambre mansardée [1].

Devant un maigre feu de cheminée, Lucile, accroupie dans sa belle robe, rêve, vaguement éclairée par les flammes. La porte s'entrouvre doucement. Elle lève les yeux, étonnée. C'est Héro encore en costume, le jabot un peu défait, une bouteille et deux verres dans les bras.

HÉRO, sourit.

N'ayez pas peur. Tigre vient de téléphoner qu'il ne pourra rentrer que très tard cette nuit. Il m'envoie vous le dire et vous tenir un peu compagnie.

Lucile s'est levée, surprise. Il entre.

On peut s'asseoir ?

1. A la représentation à Paris, cet acte se passe dans le salon, où Lucile tard dans la nuit attend le comte, accroupie devant le feu qui s'éteint. La pièce y gagne une certaine unité. On trouvera très facilement les quelques coupures qui adaptent la scène à ce décor. On pourra même en faire d'autres, il est trop long. Tout le monde dit d'ailleurs que cet acte est mauvais et qu'il n'a pas le ton des autres. Une troupe, un jour, pourrait essayer de ne pas le jouer. Peut-être que la pièce n'y perdrait rien, au contraire.

LUCILE, lui désigne l'unique chaise.

Oui.

HÉRO, la prend.

C'est curieux, il y a tant de fauteuils inutiles dans ce château... On n'a pas dû prévoir les visites dans l'aile gauche. Vous vous mettrez sur le lit, mon ange, vous serez mieux... Un petit verre avec moi ?

LUCILE

Non.

HÉRO

Vous avez tort. Vous permettez tout de même que je me serve ? Au point où j'en suis, il me serait imprudent d'arrêter. Je serais ivre tout d'un coup et je me conduirais mal. En buvant encore un peu je recule l'échéance... Cela ne vous ennuie pas que je bavarde un moment avec vous ? Quand les autres s'endorment, moi je commence seulement ma longue lutte solitaire jusqu'au petit matin, ou je le ferme enfin, l'œil ! Sacré œil ! Il est là, bien ouvert, il regarde. Tout l'embête, mais il veut regarder quand même, le petit obstiné ! Même si je crève d'envie de dormir, moi, même si j'en ai trop vu depuis la veille. Le jour, je tiens. Je bois un peu, et je parle, je dis n'importe quoi, mais cela fait un bruit qui m'empêche de penser. Mais quand vous êtes tous montés vous coucher, je me mets à penser et c'est abominable. Est-ce que vous voulez bien m'empêcher de penser un moment ? C'est d'ailleurs un ordre de Tigre. Il m'a dit : « Monte lui dire que je ne rentrerai pas et tiens-lui compagnie un moment. »

Un silence. Il ajoute, souriant.

Il avait dû espérer que vous me répondriez de temps en temps.

LUCILE

Que voulez-vous que je vous dise ?

HÉRO

Je ne sais pas moi. Quelque chose de gentil. Que vous vous êtes trompée, que ce n'est pas Tigre que vous aimez, que c'est moi...

Lucile ne répond pas, souriante, pelotonnée sur le lit.

Alors, dites-moi que vous aimez Tigre... Cela me fera moins de plaisir bien sûr, mais cela sera tout de même mieux que rien.

LUCILE

Je ne peux pas croire qu'il ait souhaité que nous parlions de cela tous les deux. Je ne peux pas croire qu'il vous ait parlé de moi.

HÉRO

Ah ! mon enfant ! Vous ne connaissez pas les hommes. Des commères : on se dit tout.

LUCILE

Vous l'aimez ?

HÉRO

Nous lancions déjà des boules puantes aux filles tous les deux quand vous ne songiez pas encore à venir au monde, cher bébé. Nous avons même mélangé notre sang, en cinquième, une nuit, dans le dortoir. A la vie, à la mort ! L'occasion de mourir l'un pour l'autre ne s'est pas présentée tout

de suite, voilà tout... Et depuis nous avons vécu...
Vous savez Castor et Pollux, c'est une fable... En
tout cas, nous nous aimions bien et il n'y a pas eu
une histoire de femme dans notre vie qui ait réussi
à nous séparer.

LUCILE, demande, comme une petite fille.
Et il a eu beaucoup de femmes, lui ?

HÉRO, sourit.
Cher bébé ! Il vous adore, c'est entendu et il a
découvert avec vous quelque chose qu'il ignorait
complètement ; mais avouez qu'il eût été imprudent de sa part et incertain de vous attendre...
Cela vous fait beaucoup de peine qu'il ait vécu ?

LUCILE
C'est mon secret.

HÉRO
Gardez-le, mon ange, avec votre petit mouchoir
par-dessus ! Je m'intéresse assez peu, personnellement, aux confidences. C'est toujours à peu près la
même chose et cela ne soulage que celui qui les
fait. Vous êtes jeune, vous débarquez au pays de
l'amour ; vous devez avoir l'impression d'être une
exploratrice, de découvrir des continents... Ne pro-
testez pas, c'est très gentil... Vous apprendrez bien
assez vite que la pièce ne comporte que deux ou
trois rôles, deux ou trois situations toujours les
mêmes — et que, ce qui jaillit irrésistiblement du
cœur dans les plus grands moments d'extase, ce
n'est jamais qu'un vieux texte éculé, rabâché
depuis l'aube du monde, par des bouches aujour-
d'hui sans dents. On n'invente guère. Jusqu'aux
vices qui sont d'une banalité, d'une précision déses-

pérantes ! Un vrai catalogue, avec les prix cou-
rants dans la colonne de droite. Car tout se paie
bien entendu. Sodomie : solitude et ulcère indiscret; éthylisme : ascite et cirrhose; passion : fatigue; tendre amour : cher petit cœur brisé. On n'y
coupe pas !

LUCILE, gentiment, bien en face.

C'est depuis hier que j'aime Tigre et j'ai vingt ans.
Alors votre petit discours avec moi, c'est du temps
perdu.

HÉRO, s'incline.

Touché ! Compliments. Je vois que vous avez
oublié d'être sotte. Vous n'aviez qu'une chose à
répondre à mon désenchantement d'ivrogne et
vous l'avez tout de suite trouvée. Quel chançard ce
Tigre ! Il aura réussi cela aussi. Il réussit tout,
que ce soit au Concours Hippique ou en amour.

LUCILE

Et qu'est-ce qu'il a réussi ?

HÉRO

De vous trouver. De vous toucher. Je dois avouer
que, lorsque je suis entré dans cette chambre tout
à l'heure je vous prenais encore, comme tout le
monde dans ce château, pour une petite midinette
en rupture de courrier du cœur. Je me suis fait
moucher. C'est bien. Cela m'apprendra à regarder
un peu plus attentivement les jeunes filles, dorénavant. Nous pouvons traiter de puissance à puissance maintenant et bavarder comme de vrais
amis ! Vous savez que c'est génial, en plus, de
vous être arrangée pour vous faire prendre par tout
le monde pour un petit cafard insignifiant ?

LUCILE

Je suis un petit cafard insignifiant et qui ne sait pas dire trois mots. Je me demande bien comment il s'y est pris, lui, pour me découvrir sous ma carapace et pour me faire parler.

HÉRO

Tigre a tous les talents ! Et je parie que vous étiez vierge comme pas une, que vous ne vous étiez jamais laissé toucher avant ?

Lucile ne répond pas.

Allons bon. Je la blesse ! On est entre amis ou on ne l'est pas ? Buvez donc un verre avec moi. S'il n'y a que moi qui bois, nous n'arriverons jamais à nous parler.

LUCILE

Non merci, monsieur.

HÉRO, répète, riant.

Non merci, monsieur ! Et bien polie, avec ça ! Bien nette, bien propre. Un beau petit caillou tout luisant que monsieur a trouvé sur la plage ; sans même chercher, en se baladant les mains dans les poches et le nez en l'air comme toujours. Je vous dis qu'il a trop de chance, c'est agaçant !

Son ton a un peu surpris Lucile, il rectifie.

Positivement : si je ne l'aimais pas tendrement comme je l'aime, cela m'agacerait. Mais il se trouve que je l'aime, pas de la même façon que vous, mais beaucoup tout de même, alors je lui pardonne tout. Parlons de lui ! Cela va être bon et peut-être que je dormirai tout à l'heure... Un petit verre tout de même ? Non ? Tant pis. On n'a pas souvent l'occasion d'être deux à parler d'un troisième qu'on aime, en trinquant. Cela fait beaucoup d'amour pour ce bas monde ! Comment avez-vous pu vous donner à lui tout de suite comme cela pour la première fois ? Après tout, vous ne le connaissiez pas hier ?

Lucile ne répond pas.

Je ne suis pas un voleur de secrets, mais, tout de même, c'est si joli tout d'un coup; cela ressemble si peu à ce que j'ai connu, que cela serait capable de me convertir. Non ? Vous ne voulez rien me dire ? Je ne saurai jamais, même par ouï-dire, comment cela se déclenche l'amour ?

LUCILE, tout doucement, comme pour elle,
après un temps.

Je n'avais jamais su supporter qu'on me touche. Et quand il m'a prise dans ses bras, j'ai senti que j'étais enfin arrivée quelque part... Voilà tout. Je n'étais plus cette pauvre fille éternellement ballottée avec sa valise et ayant peur de tout... Une propriétaire en quelque sorte, moi aussi... Que vouliez-vous que j'attende d'autre ? C'était un placement inespéré !

HÉRO

Et s'il avait seulement voulu s'amuser de vous ?

LUCILE

C'est le risque des filles. Elles n'ont qu'à savoir. Il ne faut pas trop s'attendrir non plus sur les idiotes.

HÉRO

Mais tout de même, je le connais l'animal, quand il veut se faire aimer, avouez qu'il en a presque trop fait pour se rendre intéressant ?

LUCILE, sourit, complice
pour la première fois avec lui.

Un peu trop, oui. Mais je transposais.

HÉRO

Qu'avez-vous donc pu espérer à première vue de ce plaisantin, de ce saltimbanque distingué ?

LUCILE

Rien que d'être bien une minute dans ses bras comme je l'ai été tout de suite...

HÉRO

Et après ?

LUCILE

Après, s'il faut vivre l'autre vie, la vraie, celle qu'on doit tout simplement gagner... Hé bien il ne manque pas d'orphelins dans le monde et on a toujours besoin d'une fille pour s'occuper d'eux. Cela ne fait rien. J'aurai eu ma part.

HÉRO, lève les bras.

Même pas collante ! Sacré Tigre, il aura coupé à tout ce qui est un peu vulgaire sur cette terre. Arrivé au milieu d'une vie de fêtes : fatigue, inutilité, vague à l'âme. Monsieur lève un doigt. Paraît un ange, un ange qui se donne à lui tout de suite et pour toujours. Car vous, c'est pour toujours, n'est-ce pas ?

LUCILE

Bien sûr.

HÉRO

Et s'il se tue cette nuit en rentrant en automobile, vous mourrez dans la journée de demain.
Juste le temps de faire vos petits paquets ? Daph-
nis et Chloé, Enée et Didon, Cadmus et Hermione,
que sais-je ? Tristan et Yseult sans même le roi
Marc et l'épée gênante entre vous. Monsieur se sent
un jour porté à l'idylle. L'idylle ? Mais la voilà,
Monsieur le comte, sur un plateau ! Elle est à vous.
Il suffisait d'en formuler le désir. Une jeune fille
secrète, invisible, intouchable, soigneusement gar-
dée pour vous ? Elle est là. Elle vous attendait.

LUCILE

C'est vrai. Je l'attendais...

HÉRO

Il n'avait plus qu'à paraître ! Et c'est garanti
sans taches et éternel ! Que d'autres se contentent
de ces femmes qui se prêtent à tout le monde dans
la journée avant de se donner à vous le soir; de ces
femmes qui sourient éternellement à la vitrine
comme des mannequins de coiffeur, qui passent
leur vie à faire plaisir... Car je suis sûr que vous
n'apprendrez jamais, que vous serez toujours aussi
désagréable, même quand il vous aura acheté des
robes et que tout le monde vous dira que vous êtes
jolie...

LUCILE

Il ne m'achètera jamais de robes, n'y comptez
pas.

HÉRO

Pourquoi ?

LUCILE

Parce que je n'en veux pas. J'ai pris la bonne
habitude de m'en acheter une de temps en temps
toute seule, je veux la garder.

HÉRO

Tout ! tout ! Il aura tout ! Le désintéressement
en prime, l'intelligence et la sagesse. Vous êtes
riche ; je suis pauvre et fière. Votre argent peut
nous jouer un vilain tour. Je le supprime d'un
geste. Il ne compte pas. Monsieur n'aura même
pas à être gêné. Je parie que vous exigerez aussi
de continuer à garder, bien sagement, les douze
orphelins de la tante et de vous contenter de lui
entrebâiller la porte de votre mansarde le soir ?

LUCILE

Non, tout de même. Mais je chercherai une
autre maison d'enfants pas loin de Paris et il
viendra me voir quand il voudra.

HÉRO

Ce sera trop gentil ! Il vous demandera bien
poliment au parloir et vous tremblerez tous les
deux que la directrice ne vous fasse des réflexions.
Il rougira comme un petit jeune homme. Il va tout
s'offrir une seconde fois ! Mais il y a une ombre ;
vous ne connaissez pas monsieur, il va rugir comme
un lion. C'est du bon gentilhomme français, bien
élevé, depuis des siècles. Il n'acceptera jamais de
vous laisser travailler.

LUCILE

Il faudra bien. On ne vous a donc jamais appris à tous les deux, quand vous étiez petits, qu'il fallait que chacun gagne son pain à la sueur de son front ?

HÉRO

Non. Nous avons été dans des écoles très distinguées, où cela ne faisait pas partie du programme... Qu'on vous commande, qu'on vous parle mal, qu'on vous oblige à arriver à l'heure, mais monsieur en mourra de honte ma bonne, tout simplement ! Je le connais !

LUCILE

On ne meurt pas si facilement de honte, croyez-m'en. Et puis ce n'est pas ennuyeux de travailler, pas beaucoup plus que de ne rien faire. En tout cas cela demande beaucoup moins d'imagination. Quand on voit tout le mal que vous vous donnez pour tuer le temps tous les deux !

HÉRO

C'est vrai. Nous avons durement sué toute notre vie... Il nous en a fallu du cran et de l'ambition ! Regardez les pauvres, leur dimanche, ce qu'ils en font. Ils traînent les rues, ils bâillent, ils n'en peuvent plus d'essayer d'atteindre le lundi. Nous, nous en avons eu sept par semaine, des dimanches, depuis que nous sommes tout petits ! Oh, nous n'avons pas été gâtés ! Mais nous avons tenu bon. Maintenant, le plus dur est passé. Tigre est un homme qui arrive à s'amuser douze à quinze heures par jour sans fatigue... Laissez-vous donc faire. Il vous apprendra.

LUCILE

Non.

HÉRO

Mais si vous passez votre vie dans une maison
d'enfants et lui aux courses, cela sera comme la
femme de journée qui avait épousé un veilleur
de nuit. Vous n'arriverez jamais à vous rencontrer.
Il faut être raisonnable aussi, que diable !

LUCILE

Je ne veux pas être raisonnable. C'est le premier
mot qu'on emploie quand on va faire quelque
chose de vilain.

HÉRO

Quelque chose de vilain ! Quelque chose de
« vilain » ! C'est un terme dont personne ne connaît exactement la définition. En tout cas il y a
plus grave, ma petite fille, c'est de faire quelque
chose de bête.

LUCILE

Je veux être bête ! C'est ma façon de l'aimer à
moi. Vous me voyez l'attendant dans un bel appartement où il m'aurait installée et lui, venant me
voir, avec un petit paquet, tenu au bout d'une
faveur ?... Je le détesterais au bout de huit jours !
C'est cela qui serait bête !

HÉRO

Petit Chinois !

LUCILE

Pourquoi petit Chinois ?

HÉRO

Parce que vous savez tout. Vous allez lui éviter
un horrible faux pas à ce balourd. Et il va accepter bien sûr, l'hypocrite ! Trop heureux de jouer
le petit jeu ! Il va se faire faire un costume de bon
petit jeune homme à la Samaritaine et venir vous
attendre à la sortie de votre bureau à six heures
avec un bouquet de violettes de deux sous. Il va
avoir vingt ans comme un rien et toute la can-
deur, tout l'avenir devant lui ! S'offrir cela à quarante quand on commence à avoir assez bu !

> Il s'est levé, il crie.

Ah ! non ! c'est trop ! Je vous dis que c'est trop !

LUCILE

Mais qu'est-ce que vous avez ?

> HÉRO, se ressaisit, il explique calmé
> avec un sourire méchant.

Je veux dire que c'est trop beau, tout simplement. C'est un vrai conte de fées.

> Un silence : ils se regardent.

LUCILE, s'est levée.

Monsieur, nous avons bavardé un moment
comme il le désirait. Vous feriez peut-être mieux
de me laisser me coucher maintenant. Je dois me
lever tôt demain pour les enfants.

HÉRO, reste assis.

Nous n'avons pas bavardé cinq minutes, asseyez-
vous donc, mon petit, donnez-moi encore un petit
délai. De toute façon je vous assure que je dormirai moins que vous. Vous voyez bien que je

m'accroche et que je meurs d'angoisse de me retrouver seul. Ne seriez-vous pas charitable, mademoiselle ?

> Lucile se rassied sur le bord du lit, il se
> verse un verre.

D'ailleurs, je ne suis pas compromettant. Une
jeune fille peut sans danger me tolérer assez tard
dans la nuit, dans sa chambre. Pas très ragoûtant
non plus, j'en conviens. Une loque. Et j'ai un an
de moins que Tigre. C'est ce qu'on appelle une
vie de plaisirs...

LUCILE, doucement.

Pourquoi n'essayez-vous pas de boire moins ?

HÉRO

Pourquoi l'essayerais-je ? Il faudrait que je rencontre un ange comme monsieur qui me mette
l'aile sous le bras. Les anges sont rares.

LUCILE, doucement.

Vous le rencontrerez peut-être...

HÉRO, ricane.

Ce verre à la main ? Avec ma gueule d'ivrogne,
mon odeur ? En qualité d'ange, avouez que si
c'était moi qui vous avais fait la cour, vous
auriez probablement remis ma conversion à une
date ultérieure ?

> Il la regarde en souriant.

Encore une question indiscrète ! Je suis un peu
lourd décidément. Mais pourtant... Quand vous
avez débarqué dans ce château il y a quelques
jours, le premier soir à table, si j'excepte Ville-

bosse qui compte pour du beurre, tous les hommes présents n'ont regardé que vous. Cela veut dire quelque chose tout de même.

LUCILE, demande, un peu étonnée.

Tous les hommes ?

HÉRO

Comme elle est gentille ! Elle ne s'en est même pas aperçu. Oui ma chère, nous étions trois — le maître d'hôtel est trop vieux, mais le valet de chambre de Tigre en mélangeait les fourchettes en servant. C'est un garçon qui brûlait également d'être converti. Cela crevait les yeux.

LUCILE

Taisez-vous, maintenant.

HÉRO

Pourquoi ? Je vous blesse ? Auriez-vous des idées arrêtées sur les castes, mon cœur ? Ce garçon couche aussi dans l'aile gauche, — à votre place je verrouillerais ma porte le soir. — C'est entendu, c'est le fils du premier valet de pied du grand-père, mais tout de même il était parachutiste pendant la guerre et c'est une aventure qui a beaucoup dégourdi ces gens-là. Qu'auriez-vous fait ? si c'était lui — ou moi — au lieu de Tigre qui vous avait dit : Vous me plaisez ?

LUCILE, lui répond, lumineuse.

Mais lui, je l'aime, monsieur.

HÉRO, après un temps.

Vous avez des réponses désarmantes. Que voulez-vous que j'ajoute ?

LUCILE, gentiment.

Rien.

HÉRO

On ne peut pas s'amuser avec vous. Jouons le jeu une minute pour rire, pour tuer ce soir qui me fait peur. Tigre ne vous a pas parlé ; vous n'aimez pas Tigre. Voilà huit jours que je vous regarde en silence à table et ce soir je suis monté sous un prétexte dans votre chambre pour vous dire, comme lui, que j'ai très envie de vous.

> Il s'est levé lourdement en parlant. Lucile s'est levée aussi.

LUCILE

C'est un jeu que je ne veux pas jouer. Il serait laid. Comment pouvez-vous ne pas le comprendre ? Vous êtes son ami ; s'il apprenait que vous vous amusez ainsi ce soir, que penserait-il ?

HÉRO

Vous pensez bien que nous nous sommes déjà soufflé quelques maîtresses, tous les deux, comme tous les bons amis. Et puis, cela ne serait jamais qu'une revanche... Il y a eu un ange dans ma vie, mademoiselle, je mentais ; il y a bien longtemps. J'avais dix-neuf ans et j'avais encore très peu bu.

LUCILE, balbutie.

Et il vous a...

HÉRO

Non. Il ne me l'a pas prise. Mais il me l'a fait quitter pour des prétextes que j'ai crus valables à l'époque. Elle a épousé un autre homme qui l'a rendue malheureuse et elle est morte maintenant. C'est à cet insignifiant épisode, de courtes fiançailles rompues, que je dois d'être ce que je suis.

LUCILE, doucement.

C'est affreux...

HÉRO, froid.

Oui. C'est affreux comme vous dites. Mais Tigre me doit une jeune fille maintenant, en échange. Et c'est pour cela que je suis dans votre chambre ce soir.

LUCILE, recule, pâle.

Sortez ou je vais appeler.

HÉRO

Il n'y a personne encore à l'étage et d'ailleurs si c'est cela qui vous fait peur, rassurez-vous. Je ne vous toucherai pas. Je veux seulement vous parler.

Ils se regardent, debout l'un en face de l'autre.
Lucile crie soudain.

LUCILE

Je l'aime. Je ne vous écouterai pas !

HÉRO, doucement.

Si, mon cœur.

LUCILE

Je me boucherai les oreilles !

HÉRO

Je crierai assez fort pour que vous m'entendiez. Et d'ailleurs vous desserrerez vos mains de vous-

même pour m'entendre. C'est trop bon les mots
qui vous condamnent ; on n'y résiste pas.

LUCILE

Cela ne m'intéresse pas, vos complications de
névrosé et d'ivrogne ! Je suis jeune, je suis saine
et je l'aime. Depuis huit jours je me débats et j'ai
réussi à vaincre toute seule tout ce qui nous sépare.
Vous perdez votre temps et vous aurez honte
demain de cette vilaine scène. Rentrez chez vous.

HÉRO, *doucement.*

Je n'ai jamais honte, ma chère...

LUCILE

Etes-vous à ce point l'ami de sa femme ? Et d'ailleurs, vous savez bien qu'elle ne l'aime pas ! Alors,
qu'est-ce que cela peut bien vous faire, que nous
nous aimions ? Je ne lui demande pas de m'épouser, même pas de se charger de moi — je serai invisible, je travaillerai, il pourra continuer à mener
sa même vie dans son monde, si c'est cela qui vous
fait peur à tous. Je demande seulement qu'on ne
nous empêche pas de nous aimer.

HÉRO, *ricane.*

Sa vie, son monde ? Vous me prenez pour le père
Duval avec son haut-de-forme, ma petite fille,
dans « La Dame aux Camélias ». Vous pensez bien
que cela m'est tout à fait égal à moi.

LUCILE

Alors pourquoi vous acharner depuis que vous
êtes entré dans cette chambre ? Vous croyez que je
n'ai pas compris ce qu'il y avait sous chacun de

vos mots, même quand vous faisiez semblant de
l'aimer et de vous attendrir sur moi ? Pourquoi
vous donner tant de mal pour essayer de compromettre quelque chose qui est peut-être vrai et bon
et qui ne demande qu'à vivre ? Parce que vous
le haïssez ?

HÉRO

Même pas.

LUCILE

Pourquoi alors ?

HÉRO, dans un murmure.

J'aime casser.

> Elle le regarde, toute droite et claire. Il
> essaie de soutenir son regard un long mo-
> ment, puis soudain, il se verse un verre
> nerveusement et le vide d'un trait.

LUCILE, doucement.

Pauvre Héro. Pauvre petit monstre. Vous ne me
faites plus peur maintenant. Comme vous devez
être malheureux avec ce poids sur votre dos.

HÉRO, hurle soudain.

C'est mon affaire, Mademoiselle, si je suis malheureux ! Veuillez vous occuper de ce qui vous
regarde !

LUCILE

Cela me regarde. Vous essayez de me faire du
mal en ce moment. Et j'ai seulement pitié de
vous.

HÉRO, crie, révulsé

Je vous défends d'avoir pitié ! Pauvre petite ins-

titutrice de rien du tout ! Pauvre petite larve bien
pensante ; avec son sang de navet, ses petites
mains et ses petits pieds bien propres, dans sa robe
de quatre sous. Pauvre petite musaraigne à prin-
cipes, à bons sentiments et à économies ! Vous êtes
ce que je hais le plus au monde ! Ce que je trouve
de plus niais et de plus bête. J'aime mieux une
putain avec son ventre offert entre ses jambes,
j'aime mieux une garce qui se fait payer à chaque
fois et qui vous trompe tout de même ; j'aime
mieux une vicieuse qui se fourre de la poudre
dans le nez, une clocharde cuvant son vin rouge
sous un pont, dans sa crasse. Je vous hais ! Et je
vous défends de me regarder comme ça !

> Il se verse encore un verre hâtivement et le
> vide d'un trait. Il se rapproche, dissimulant
> mal sa joie méchante.

Vous savez où est Tigre ce soir en fin de compte ?
Vous savez ce qu'il y avait sur ce télégramme qui
l'a appelé brusquement ? Vous savez de quelle com-
mission il m'a chargé pour vous ?

LUCILE, recule et crie.

Ce n'est pas vrai !

HÉRO

Qu'est-ce qui n'est pas vrai, petite dinde ? Je n'ai
encore rien dit.

> Il la regarde narquois.

Même pas de courage alors ? Vous devez crier
comme cela chez le dentiste, je vous vois, avant
même qu'il ait pris ses instruments. Cela vous toise
de haut, cela vous joue les Jeanne d'Arc, Antigone et *tutti quanti*, tout ce que cela a lu dans

ses bons petits livres à l'école, et puis quand le
moment est venu, le petit mouchoir, les petits
cris, les petites larmes comme les autres. Cela ne
sait même pas se tenir. Et cela veut se permettre
de vous juger, d'avoir pitié de vous !

LUCILE

Vous êtes un monstre.

HÉRO

Qu'est-ce que je vous disais ? Soyez délicat. Prenez des formes. Ingéniez-vous à les mettre en confiance avant de leur porter le coup fatal. Tuez-vous
à leur dire qu'elles sont gentilles tout de même,
désirables et que vous êtes tout prêt à les consoler, vous ou le valet de chambre... Voilà comment
elles vous récompensent.

Il crie soudain.

Allons, la petite crise de nerfs, la petite crise
de nerfs, vite ! Je ne parlerai que lorsque vous
aurez fini.

LUCILE, se raidit.

Je ne pleurerai pas.

HÉRO

Bon. Le mépris. J'aime mieux cela. J'ai horreur des larmes. C'est dégoûtant.

Il se rapproche.

C'est vrai que vous êtes très belle en ce moment,
toute dure, toute crispée. Une petite bête forcée
dans un coin par les chiens et qui fait face, ados-
sée au mur. Il faut être idiot comme ces deux
pauvres perruches pour ne pas vouloir en convenir.

Le petit poison du château, la petite intruse qu'il
faut mettre à la porte. La petite empêcheuse de
danser en rond !

LUCILE, crie.

Mais parlez donc enfin !

HÉRO, sourit.

Vous voyez qu'il vous tarde maintenant ? Nous
avons le temps... Nous sommes seuls à l'étage, le
maître d'hôtel se saoule avec la cuisinière à l'office
et j'ai envoyé le parachutiste en faire autant au
village voisin. Et les autres sont enfermés dans
leurs chambres, là-bas dans l'autre aile, se deman-
dant ce que tout cela va donner. Je les vois se
retourner dans leur lit. M. Damiens noir et velu
comme un gros corbeau qui a perdu son fromage,
Hortensia et la comtesse dans leurs dentelles avec
leurs romans policiers et leurs cachets pour dormir à portée de la main... Mais le sommeil ne
veut pas venir ! Il y a cette petite intrigante qui
mijote Dieu sait quoi, contre le repos des familles
et des liaisons honorables là-haut, dans sa mansarde tout au bout de l'aile gauche... Va-t-on enfin
pouvoir nous en débarrasser ?

Il fait un pas.

Tigre, ma chère, s'est aperçu, trop tard, qu'il
avait fait une bêtise. Une bêtise grosse comme lui.
S'il m'avait demandé conseil avant, je lui aurais dit
de vous éviter cette peine. Vous étiez vierge, c'était
votre petit capital, il n'aurait pas dû y toucher. Et
puis vous avez de la qualité... Qu'on fasse cela avec
une petite chambrière, passe : si ce n'est pas vous,
un jour ou l'autre c'est le garçon d'étage qui se

l'offrira. Vous valez mieux, je le reconnais... Mais
ne lui en veuillez pas trop tout de même ; il n'est
pas méchant. C'est un tendre, un tendre incu-
rable et il se monte un peu vite la tête, voilà
tout. Et puis enfin, il a des excuses... C'est si
gentil un petit être neuf qui se blottit dans vos
bras et qui vous dit qu'il vous aime, qu'il est à
vous pour toujours. Toujours : c'est cette nuit,
c'est tout de suite. C'est ce plaisir nouveau qu'on ne
connaissait pas. Il faudrait vraiment être un sage
pour desserrer ses bras, dire non ! Et puis, vous
l'avez dit tout à l'heure, c'est le risque des filles.
Après tout, si elles veulent bien... L'ennui, c'est
que le lendemain la petite vous aime encore. Toujours, pour elle, cela ne fait que commencer avec
le petit déjeuner. C'est qu'il va falloir s'occuper
d'elle maintenant ! Et elle est en confiance tout
de suite, la petite chérie, la tête sur votre épaule,
elle se met déjà à vous parler de sa vieille maman qui est si seule et avec qui il faudra être
bien gentil, des petits plats qu'elle sait si bien
faire, du prénom qu'aura son bébé. Ce n'est
plus le plaisir rare, la petite biche sacrifiée de la
veille : c'est le caca des familles qu'on a tout d'un
coup sur son dos. On se voit déjà poussant la
petite voiture... Je transpose bien entendu. Je
sais que vous avez été discrète et raisonnable. Je
travaillerai tout de même ; il ne m'achètera jamais rien, nous serons libres, notre amour seul...
Vous dirai-je toute la vérité, ma chère ? Oui. Vous
êtes assez forte maintenant. C'est cela qui a fait
peur à Tigre. Il aurait préféré que vous lui demandiez une fourrure et un petit appartement gentiment meublé. Une petite amie, dans une vie comme

la sienne, cela se case. Une grand amour désinté-
ressé : C'est hors de prix. Et comme il sent obscuré-
ment qu'il tient à vous tout de même, que, dans
quelque temps, tout cela sera encore plus dur, il
a pensé — mettez-vous à sa place — qu'il valait
mieux trancher dans le vif et se comprendre tout
de suite...

LUCILE
Pourquoi ne m'a-t-il pas parlé lui-même ?

HÉRO
Pourquoi voulez-vous que cet aimable fêtard
soit un héros ? Il sait comme tout le monde, depuis
que Napoléon a pris soin de nous en avertir, qu'il
n'y a qu'un remède à l'amour : la fuite. Il a fui.
Il ne se sentait pas de taille à ne pas se laisser
engluer. Vous lui avez prêté beaucoup de qualités
imaginaires à ce gentil farceur, vous savez ma
petite...

LUCILE, balbutie encore.
Pourquoi alors m'a-t-il dit qu'il m'aimait ?

HÉRO
L'émotion, l'entraînement, la contagion ; l'amour
se prend comme la grippe. Une certaine facilité
de parole aussi... Vous êtes jeune. Vous en verrez
d'autres. Méfiez-vous des sentimentaux, ma biche,
ce sont les pires.

LUCILE, après un silence, toute raide.
C'est tout ce qu'il vous a dit pour moi ?

HÉRO
Non bien sûr. C'est un gentleman. D'abord un
chèque...

Il a mis la main à sa poche, il s'arrête devant le geste de recul de Lucile.

Que vous allez refuser bien entendu. Là, j'en conviens avec vous, je le trouve lourd. Je n'en aurais
même pas parlé, mais enfin je ne suis qu'un com-
missionnaire... Ensuite, comme je vous l'ai dit tout
à l'heure, il m'a dit : « Bavarde avec elle. Tâche
donc de la consoler... »

Lucile résiste un moment, toute raide, et puis
soudain elle tombe sanglotante sur le lit.
Héro s'approche d'elle.

Là. Ma petite héroïne de carton. Laissez-vous
donc aller. C'est mieux, les larmes...

Il s'est assis sur le rebord du lit et lui parle
doucement, maternellement presque.

Cela se raidit, cela fait la fière, cela veut se
conduire comme une vraie dame, prendre des res-
ponsabilités et cela jouait à la poupée hier encore
et au premier chagrin cela courait se jeter dans
les jupes de sa maman. Seulement voilà : il n'y
a plus de maman. On est grand maintenant, on
est tout seul. Rien que le vilain parrain qui sent
la vieille poussière de notaire et qui s'est mis un
gentil bonnet de mère-grand sur son horrible tête
de loup pour mieux vous croquer mon enfant...
Ah ! ce qu'on peut être seul au monde, n'est-ce pas
mon petit chat ? J'en sais quelque chose... Vous
qui aviez déjà un peu pitié de moi tout à l'heure,
vous comprenez maintenant ?...

Il attrape son verre sur la commode sans se
lever du lit.

Là. Elle va le boire maintenant son petit verre d'alcool. Bien sagement.

> Il la fait boire, lui tenant la tête.

Et puis après elle en boira un autre, et puis un autre. Elle aura compris, elle aussi.

> Il la tient contre son épaule, il ne joue plus, il pleure aussi, il murmure.

Evangéline...

> Un silence. Il la serre contre lui, il la caresse doucement, il murmure, regardant au loin.

Mon pauvre petit. Mon pauvre petit. Comme c'est laid, n'est-ce pas, de vivre ? Cela piaffait d'impatience, cela croyait tout et cela se trouve tout seul tout d'un coup avec la vie devant soi, comme un gouffre. Cela ne dit rien, cela se cache pour pleurer bien convenablement et puis cela épouse un vilain banquier présenté par la famille qui en a assez, elle, d'attendre. Une espèce de brute dans son lit le soir et la corvée tout le jour, couverte de bijoux, à parader pour lui. Alors cela pleure encore deux ou trois ans en se cachant, bien modeste, et puis un beau jour, quand c'est trop fatigué, cela meurt, voilà tout, sans rien dire, sans avoir laissé plus de traces sur la terre qu'un passage d'oiseau.

> Il pleure, il la caresse, elle est sur son épaule, il murmure, le visage baigné de larmes.

Mon enfant. Mon tendre enfant. Mon pauvre petit enfant perdu.

> Il la tient tout à fait dans ses bras maintenant. Elle se laisse aller, le rideau tombe.

CINQUIÈME ACTE

Même décor.
C'est le matin. Villebosse est seul en scène, cos-
tumé, furieux et décidé, on ne sait encore à quoi.
Le comte entre, achevant de mettre la veste de
son costume de scène.

LE COMTE

Vous êtes déjà là, Villebosse ? Je suis en retard,
je suis rentré au milieu de la nuit. Excusez-moi,
mon cher, de vous avoir imposé à tous une
répétition matinale, mais nous passons après-demain et cet après-midi j'ai l'orchestre sur les bras,
il faut que je règle la musique.

VILLEBOSSE

Monsieur, je vous attends depuis une heure
déjà. Il m'a été impossible de vous parler hier,
seul à seul, et j'ai une grave conversation à avoir
avec vous. Vous me semblez très gai, monsieur, et
très heureux.

LE COMTE

Très gai, Villebosse et très heureux. Comme je ne l'ai jamais été.

VILLEBOSSE

Vous avez de la chance. D'autres le sont moins, monsieur, d'autres souffrent. D'autres n'ont pas les mêmes motifs que vous de se réjouir.

LE COMTE

Je l'espère bien. Ce sont des motifs qui me sont très personnels, pour une fois. Jusqu'ici, j'avais eu la faiblesse de ne me divertir qu'en commun. Je m'aperçois que le bonheur est un exercice solitaire.

VILLEBOSSE

Y aurait-il quelque allusion, monsieur, sous vos paroles ?

LE COMTE

Depuis l'invention du langage il y a toujours eu quelque allusion Villebosse, sous les mots prononcés. On ne les a même inventés que pour cela.

VILLEBOSSE

S'il y avait une allusion, monsieur, elle serait déplacée. Notre situation à tous deux est délicate, ne l'oubliez jamais.

LE COMTE

Mon cher, elle ne m'a jamais empêché de dormir, mais, depuis ce matin, vous tombez mal, je suis justement décidé à l'oublier complètement.

VILLEBOSSE

Que voulez-vous dire par là, monsieur ?

LE COMTE

Que je suis ravi que vous soyez l'amant de ma femme. Je vous trouve un jeune homme extrêmement distingué.

VILLEBOSSE, bondit.

Sachez, monsieur, que je vous interdis de plaisanter avec l'honneur de la comtesse ! Rentrez le mot, monsieur ! Rentrez ! Ou vous m'en rendrez raison !

LE COMTE

Quel mot, monsieur ?

VILLEBOSSE

Celui que vous venez de prononcer, monsieur. Votre cynisme est une pose odieuse. Je ne souffrirai pas qu'il éclabousse un être qui a droit à notre respect à tous deux. La comtesse, monsieur, est au-dessus de tout soupçon !

LE COMTE

Mais diable, quel soupçon, Villebosse ?

VILLEBOSSE

Vous m'avez fort bien entendu, monsieur. N'essayez pas de me faire répéter une expression que je juge blessante. Si vous vous croyez autorisé à colporter partout que votre femme a une aventure, vous aurez affaire à moi, monsieur.

LE COMTE

Villebosse vous êtes adorable ! Je ne me lasse pas
de vous entendre et de vous voir évoluer. Vous
êtes l'homme le plus drôle que j'aie jamais connu.

VILLEBOSSE, démonté.

Je souffre, monsieur, tout simplement. Je suis
un sincère.

LE COMTE

Je le vois.

VILLEBOSSE

J'aurai beau faire, je ne me ferai jamais à la
corruption du petit monde frelaté où vous vivez.
J'arrive de Carcassonne. Nous y sommes de petits
hobereaux. La maison de ma famille a gardé ses
fossés et son pont-levis depuis le treizième siècle.
Nous n'en avons jamais bougé, nous n'y avons
jamais fait mettre le chauffage central et nous n'y
avons jamais badiné avec l'honneur des femmes.
Rentrez le mot, monsieur ! Quand j'ai su que
j'aimais la comtesse, je suis venu vous proposer
de nous battre à outrance. C'était clair. J'épousais
la veuve ou je disparaissais. Vous avez refusé.

LE COMTE

Je n'étais pas décidé à mourir ce jour-là. Ni à
vous tuer non plus. Moi, je vous aime bien, Villebosse.

VILLEBOSSE

Vous avez voulu cette situation compliquée et
dégradante.

LE COMTE

J'ai voulu vivre. C'est toujours compliqué et dégradant.

VILLEBOSSE

C'est fait, maintenant. L'honneur et le bonheur de la comtesse me concernent personnellement. Alors voilà ce que j'ai à vous dire : je ne supporterai pas que vous trompiez votre femme, monsieur.

LE COMTE

Comment ?

VILLEBOSSE

Vous m'avez fort bien compris. Je n'accepterai pas que vous la ridiculisiez, comme vous le faites, avec n'importe qui. Vous vous tiendrez, monsieur, dorénavant. Vous vous tiendrez convenablement ou vous aurez affaire à moi.

LE COMTE

Qu'exigez-vous, Villebosse ?

VILLEBOSSE

La rupture immédiate avec cette jeune personne. Le retour au foyer conjugal. La comtesse consent à passer l'éponge, elle oubliera.

LE COMTE

Dois-je quitter aussi Hortensia ?

VILLEBOSSE

Elle la tolère. C'est une faiblesse de sa part. Elle a toujours eu pour vous des indulgences que je ne comprends pas. Veillez seulement à être discret, à lui marquer toujours plus d'attentions qu'à cette dame, à lui donner le pas, toujours. Enfin que diable ! il est étrange que ce soit à moi à vous le rappeler : c'est votre femme, monsieur.

LE COMTE

Je vous aime de plus en plus, Villebosse. Embrassez-moi !

VILLEBOSSE

Non !

LE COMTE

Pourquoi ? Je suis sûr qu'au fond vous m'aimez bien aussi.

VILLEBOSSE

Cela ne serait pas convenable. Gardons nos distances, monsieur. Notre situation est trop délicate. Mais n'oubliez jamais que j'ai l'œil sur vous !

LA COMTESSE, entre.

Quand je pense, Tigre, que vous avez réussi à nous faire lever à dix heures... Mais c'est ravissant, cette aube !... On a tort de ne pas se lever plus tôt. Quel délicieux matin ! Vous avez passé une bonne nuit ?

LE COMTE

Oui, Eliane. J'aimerais vous dire deux mots.

LA COMTESSE

Villebosse ?

VILLEBOSSE, accourt aussitôt.

Chère Eliane ?

LA COMTESSE

Voulez-vous vous rendre utile ?

VILLEBOSSE, ivre de dévouement.

Toujours !

LA COMTESSE

Courez dans toutes les chambres et ramenez les
retardataires. Dans dix minutes, il faut que nous
répétions.

VILLEBOSSE

Comptez sur moi, Eliane, dans dix minutes tout
le monde sera là !

Quand il est sorti, la comtesse se retourne
vers Tigre.

LA COMTESSE

Je vous écoute.

LE COMTE

Je vais être bref. Mais vous êtes une femme
d'esprit, Eliane, et je sais que vous comprendrez
vite.

LA COMTESSE

Quel air grave !

LE COMTE

Oui. J'ai cette jeune fille.

LA COMTESSE

Bien.

LE COMTE

Nous avons vécu très intelligemment tous les deux, Eliane, avec la même horreur du drame. Ce n'est pas qu'il nous faisait peur, mais il nous paraissait de mauvais goût. Vous m'avez passé mes maîtresses, je ne vous ai jamais demandé avec qui vous preniez le thé ; nous avons donné quelques belles fêtes, notre maison est une de celles où l'on a plaisir à venir et, étant donné ce qu'on fait ordinairement du mariage — le nôtre, en somme, a été délicieux.

LA COMTESSE

Merci, Tigre.

LE COMTE

Non. C'est moi qui vous remercie. J'ai été impossible souvent : un petit jeune homme trop gâté. Cette réussite, nous la devons à votre merveilleuse intelligence de la vie. Dans un monde où l'on vocifère, où l'on exhibe volontiers son sexe, où l'on se tape de plus en plus sur le cœur, nous avons su garder le sourire tous les deux. Nous avons vécu comme on danse, en musique, sur des pas réglés, et avec grâce.

LA COMTESSE, qui ne le regarde pas.

Et tout cela ne vous séduit plus ?

LE COMTE

Tout cela continuera à me paraître, toujours, la seule façon intelligente de vivre, d'échapper au désordre et à la vulgarité. Seulement...

Il s'arrête.

LA COMTESSE

Seulement ?

LE COMTE

Cette ligne de ma vie si gracieuse et si nette, depuis mon premier cotillon réussi jusqu'à ma présidence probable du Jockey, dans vingt ans, et à mes obsèques, avec tout Paris en haut-de-forme à la Madeleine ; je viens de m'apercevoir que ce serait sans doute un joli souvenir pour les autres, un joli thème d'article pour « le Figaro » — et rien pour moi. Je ne savais pas pourquoi j'étais si gai toujours : je m'ennuyais.

LA COMTESSE

Et c'est cette petite fille qui vous l'a fait comprendre dans sa mansarde ?

LE COMTE

Oui. Vous avez trop de goût, Eliane, je le sais, pour ne pas me dispenser de vous décrire mes sentiments. Je l'aime. Je ne savais absolument pas ce que c'était. C'est tout bête, sans brio, sans grâce, sans drôlerie, sans rien de ce que je croyais aimer, mais cela est.

LA COMTESSE

Est-ce si nouveau, Tigre ? Je vous ai vu au bord du suicide deux ou trois fois parce que des filles vous résistaient.

LE COMTE

Mon désir contrarié m'était insupportable. Il me fallait tout de suite ce que je voulais très fort. Il y a aussi des petits garçons qui se tuent

parce qu'on leur refuse une bicyclette. Ce n'est
jamais très intéressant. Je n'ai même pas cette
hâte cette fois. Ma plus grande joie est d'être avec
elle— rien d'autre ne m'amuse plus — mais si,
pour une raison ou pour une autre, vous me
demandiez d'attendre, Eliane, je pourrais attendre
très longtemps — sans me lasser.

LA COMTESSE

Je ne vous prendrai pas au mot. Ce serait trop
triste que vous perdiez cette belle confiance toute
neuve en l'essayant. Vous savez que je ne vous ai
jamais refusé de prendre un plaisir.

LE COMTE

Ma pauvre Eliane, mais nous parlons maintenant d'un monde à l'autre. C'est bien cela qui me
fait peur. Il ne s'agit pas de prendre cette fois.

LA COMTESSE

Bon. De quoi s'agit-il donc ?

LE COMTE, doucement.

De donner.

LA COMTESSE

Vous avez du temps, de l'argent en poche. Donnez, mon ami, donnez. Qui vous empêche ?
Faites un petit voyage avec elle, achetez-lui des
robes. Vous dites depuis dix ans que vous voulez aller en Chine. Allez à Barbizon y cacher vos
amours, je dirai à nos amis que vous êtes à Pé-
kin.

· LE COMTE

Ma pauvre Eliane, c'est beaucoup plus loin que
la Chine que je vais partir.

LA COMTESSE

Voilà deux fois que vous dites ce mot, dont j'ai
horreur. Je ne suis pas votre pauvre Eliane. Tout
cela m'amuse beaucoup au fond. Vous voulez
notre séparation, Tigre ; l'épouser ?

LE COMTE

Pourquoi faire de la peine à votre oncle le mon-
signore avec un divorce, mêler une nouvelle fois
un officier d'état civil à nos affaires ? Cela me paraît tout à fait inutile.

LA COMTESSE

Elle ne vous l'a pas encore demandé ? Elle vous
le demandera dans huit jours. Ces petites personnes qui se donnent au premier venu, dans des
mansardes, ont un très grand souci de respectabi-
lité.

LE COMTE

Voilà la seule séparation que je crains entre
nous, Eliane. Que votre colère et votre dépit
vous fassent dire un mot malheureux. Je vous ai
toujours estimée et admirée. Il y a déjà une émeraude entre nous ; n'y rajoutez rien.

LA COMTESSE

Résumons-nous. Nous donnons cette fête tout de
même. Et vous partez le lendemain pour tout le
temps que vous aimerez cette petite, pour tout le
temps qu'elle vous aimera ? Eh bien ! je suis d'ac-

cord avec vous. Et sans trop d'inquiétude, vous
voyez. Amusez-vous bien, Tigre. Vous me racon-
terez au retour.

> Entrent **Villebosse** avec Hortensia et Héro un
> verre à la main, l'air absent. La comtesse
> va soudain à Hortensia et l'embrasse.

Ma chère petite Hortensia ! Si bonne, si tendre,
si confiante ! Ah ! les hommes ne valent pas cher. Je
l'aime beaucoup maintenant votre parfum. Héro,
mon petit Héro, vous êtes tout sombre... Héro,
vous n'avez pas été raisonnable encore une fois.
Héro, posez ce verre, il est trop tôt pour boire.

HÉRO

Non.

> Il s'assoit à l'écart.

VILLEBOSSE, à la comtesse.

Il est affreusement ivre. Il ne peut même pas
articuler un mot. Je vous défie de répéter avec
lui. Quant à la jeune fille et à Damiens, ils ne
sont pas dans leurs chambres.

LA COMTESSE

Tigre, vous seul pourrez les retrouver. Voulez-
vous monter et la ramener ?

> Entre Damiens en costume de ville, noir et
> étrange, soudain, au milieu d'eux.

MONSIEUR DAMIENS

Je m'excuse, madame la comtesse. Mais je vais
être au regret de rendre mon rôle à M. le comte
et de quitter le château.

LA COMTESSE

Que nous chantez-vous, monsieur Damiens ?
Nous passons après-demain.

MONSIEUR DAMIENS

Ma filleule est partie au petit matin, seule, à
pied pour la gare. Ce coup de tête ne peut être
qu'une conséquence de la malheureuse affaire
d'hier. Après cet incident pénible, je ne crois pas
devoir rester non plus.

LE COMTE, va à lui tout pâle.

Comment avez-vous su qu'elle était partie ? Elle
est peut-être au village ?

MONSIEUR DAMIENS

En montant la prendre dans sa chambre tout à
l'heure, j'y ai trouvé cette lettre pour vous, monsieur le comte, sur sa commode. Et une autre pour
moi.

LA COMTESSE
pendant que le comte décachète la lettre.

Mais enfin, Damiens, vous rêvez ! Nous avons
eu hier soir une conversation très amicale toutes
les deux, l'incident était tout à fait clos.

HÉRO, qu'on a oublié dans son coin, avec son verre,
demande soudain de sa voix d'ivrogne.

Qu'est-ce qu'elle dit sur cette lettre ?

LE COMTE, qui est figé, son papier à la main,
murmure comme dans un songe.

« Vous avez raison. C'était impossible. Je suis
partie. Je ne vous reverrai jamais. »

> Un petit temps sur tout le monde. Héro
> demande encore.

HÉRO

C'est tout ?

> On regarde le comte qui ne répond pas, re-
> gardant au loin, tout pâle.

LA COMTESSE

C'est vraiment extraordinaire. Damiens, vous qui
la connaissez ?

MONSIEUR DAMIENS

Madame, excusez-moi, mon train part dans quelques instants, je n'ai que le temps de rejoindre la
gare. Sa lettre ne me dit rien d'autre, sinon sa
détermination de ne pas me revoir non plus. Elle
a été blessée sans doute, et plus gravement que
nous le supposons. La voilà partie Dieu sait où,
toute seule, avec sa blessure. Sans appui, sans argent,
sans rien.

LA COMTESSE

Mon Dieu ! Si au moins on lui avait fait régler
ses six mois !

> Le comte qui ne disait rien, immobile,
> comme frappé par la foudre, sort soudain
> en courant.

HORTENSIA, crie.

Tigre, où allez-vous ?

LA COMTESSE

Prendre sa voiture sans doute et courir les

routes. Mais quelles routes? Rattrapez-le donc, Damiens. Il vous déposera à la gare.

MONSIEUR DAMIENS, sortant rapidement.

Adieu, madame.

LA COMTESSE, à Hortensia, quand il est sorti.

Cette petite a dû prendre l'omnibus de cinq heures qui se dirige sur Alençon. Elle a déjà fait son changement là-bas, Tigre ne saura jamais pour quelle direction. Il n'a aucune chance de la retrouver.

HORTENSIA

Elle peut se raviser, lui écrire...

LA COMTESSE

Ne le croyez pas. Maintenant nous pouvons bien le dire, c'est une fille qui avait de la qualité. Son départ même le prouve. Elle l'aimait — certainement. C'est pourquoi il faut être sans inquiétude. Après ce qui s'est passé, elle ne tentera plus jamais de le revoir.

HORTENSIA, demande soudain gentiment.

Mais que va faire Tigre?

LA COMTESSE, la regarde, sincèrement étonnée.

Comme vous êtes bonne, Hortensia! Décidément, il y a une faille chez vous. Il sera triste un mois ou deux et puis il recommencera à s'amuser. D'ailleurs je le connais; c'est un homme qui a le plus grand sens du devoir mondain. Nos premiers invités seront là ce soir. Pendant deux jours, si malheureux qu'il soit, il ne pourra penser qu'à sa fête. Venez, ma chère, allons déjeuner. Tout cela creuse.

Elle l'entraîne.

HORTENSIA

Mais pour le rôle ?

LA COMTESSE

J'avais prévu cette défection. Léonor à qui Tigre avait d'abord donné le rôle et qui l'avait entièrement appris, consent à oublier le vilain tour qu'il lui a joué. Elle a pris l'avion pour Le Mans où j'ai envoyé la voiture. Elle sera là dans une heure. Et je vais téléphoner à Gontaut-Biron, je suis sûre qu'il n'est plus grippé.

HORTENSIA

Comment ? Vous avez fait venir Léonor ? Après ce que vous m'avez dit sur Tigre et elle ?

LA COMTESSE

Ma petite amie, je vous aime beaucoup, mais j'ai craint, tout compte fait, que vous ne soyez pas de taille. Que voulez-vous, il s'agit de consoler Tigre avant tout. Et, ou bien je ne le connais pas, ou bien dans huit jours il ne pensera plus qu'à Léonor. Il a horreur qu'on lui résiste ! Venez donc prendre un peu de café. Nous en avons besoin toutes les deux.

Elles sont sorties. Villebosse les rattrape en criant.

VILLEBOSSE

Eliane, je n'ai pas déjeuné non plus !

HÉRO, l'air toujours absent, son verre à la main,
le rappelle comme il le voit sortir, d'une voix pâteuse.

Monsieur !

VILLEBOSSE, s'arrête.

Monsieur ?

HÉRO

Un instant, je vous prie.

Villebosse se retourne, surpris.

Je crois que vous êtes un fin tireur, monsieur ?

VILLEBOSSE

Que voulez-vous dire par là, monsieur ?

HÉRO

Je me suis même laissé dire que vous aviez ga-
gné plusieurs championnats importants, au pistolet.

VILLEBOSSE

C'est exact.

HÉRO

Eh bien ! monsieur, je veux vous dire que vous
n'êtes pas aimé comme vous pouvez le croire.

VILLEBOSSE

Comment, monsieur ?

HÉRO

On n'est jamais aimé comme on peut le croire, c'est une vérité générale. Mais pour vous, il y a une vérité plus particulière. Depuis hier soir, pour employer un mot qui me répugne, monsieur, vous êtes cocu.

VILLEBOSSE, bondit.

Vous êtes ivre, monsieur, retirez le mot !

HÉRO

Je suis ivre, mais c'est quand je suis ivre que j'ai toute ma tête. Je maintiens le mot. Il est exact. Je n'étais pas dans ma chambre cette nuit. J'étais dans une autre chambre. Vous m'avez compris ?

VILLEBOSSE, se rapproche, terrible.

Comment ? Savez-vous bien ce que vous osez insinuer là, monsieur ?

HÉRO

Il me semble que c'est clair. Ne me faites pas répéter un gros mot.

VILLEBOSSE

Fort bien, monsieur. Vous avez au moins le mérite de la franchise. Je me doutais depuis longtemps que vous disposiez vos batteries. Nous nous battrons. Le temps matériel de faire venir deux de mes amis.

HÉRO, toujours assis.

Faites vite. Je veux que ce soit demain matin.

VILLEBOSSE

A vos ordres, monsieur. J'ai la même hâte que vous.

> Il va sortir. Héro le rappelle.

HÉRO

Monsieur !

VILLEBOSSE

Monsieur ?

HÉRO

Pour que tout soit parfaitement régulier, giflez-moi.

VILLEBOSSE

Monsieur, ce n'est pas nécessaire.

HÉRO

Si, monsieur. Si vous ne me giflez, pas, je ne me bats pas.

VILLEBOSSE

Mais puisque nous sommes décidés à la rencontre, monsieur. Je vous laisse le choix des armes, si c'est cela qui vous inquiète.

HÉRO

Je ne l'aurai que si vous me giflez. Je connais les règles. Giflez-moi, monsieur, tout de suite.

> Il crie, se levant.

Tout de suite, bon Dieu ! ou je vous flanque mon verre au visage ! Allons, puisque je vous le demande. Et fort. Je veux le sentir. Allons ! Allons, sale cocu ! Il le faut, je vous dis !

VILLEBOSSE

Après tout, vous l'aurez voulu, grossier personnage !

Il le gifle.

C'est absurde.

HÉRO, giflé, tout pâle, immobile, debout.

Non. C'est très bien.

Il lève un doigt.

Je choisis le pistolet.

> Villebosse s'incline, raide, un peu étonné de ce choix et il sort.
> Héro reste seul, immobile, l'œil perdu. Il retombe avachi dans son fauteuil. Il vide lentement son verre. Il murmure.

Evangéline...

Et le rideau tombe.

BRODARD ET TAUPIN — IMPRIMEUR - RELIEUR
Paris-La Flèche-Coulommiers. — Imprimé en France.
1868-5-05 - Dépôt légal n° 7430, 2e trimestre 1968.
LE LIVRE DE POCHE - 6, avenue Pierre Ier de Serbie - Paris.
30 - 11 - 2383 - 01

30/2383/5